もう一度読みたい

国語の教科書 音読ブック

大東文化大学文学部教授
山口謠司
監修

はじめに

1分間、お時間をください！

1分で、みなさんの気分を変えたいと思います。魔法ではありません。その1分は、みなさんが、みなさんの選択で、気分を変えるための時間です。

たとえば元気を出したいな！　と思うのであれば、第1章の「元気になるテンポの音読」を、元気な声で1分間読んでみましょう。気分を落ち着かせたいなぁと思うのであれば、第3章の「心が落ち着く音読」を、ゆったりと心を落ち着けて1分間、読んでみてください。

1分前と、後とでは、「自分」がすっかり変わっていることに気が付くでしょう。そして、それと同時に、1分間の音読は、何かに気が付く力と、考える力を与えてくれたはずです。

日本語に込められた温かい元気、深い優しさについて、あるいはこんな表現ができるのかという気付き。音読は、人生を変える大きな機会です。

奈良時代からつい最近まで、日本人はみんな、音読をしながら日本語を身に付けてきました。そして、音読する文章から、思考の方法も学んできたのです。寺子屋では、百人一首や

『論語』などを音読していました。手紙の書き方も、耳で聞いて覚えました。

音読は、朗読とは違います。

朗読は、人のために、文章を読んであげることです。

音読は、自分の目で文章を読み、口にして自分の声を出し、自分のために読むことです。

ですから、上手に読もうなんて考えることはありません。自分のために、自分のいいように、自分の脳、あるいは自分の心に読んであげればいいのです。

ただし、ひとつだけルールを決めましょう。

口先だけで読まないことです。お腹に力を入れて、しっかり声を出して読んでください。しっかりと自分の心に言葉を伝えるためには、目、口、耳だけでなく、身体の芯に力を入れて、大きな声を出すことが大切です。

全身全霊を込めて、1分間、音読に没頭してみてください。

1分で、あなたは変わります。とっても気持ちのいい力が、あなたの中にみなぎります。

1分音読は、人生を変える力なのです。

二〇二四年正月吉日　山口謠司拝

1日1分の「音読」で活力アップ！

精神科医・杏林大学名誉教授 **古賀良彦**

みなさん、毎日元気に暮らしていますか？「今は大丈夫だけど、朝や月曜日は少し憂鬱」「なぜかやる気が出ない」「心なしか物忘れが進んでいる」などという方もいらっしゃるかもしれません。そんな時にぜひ試してほしいのが「音読」です。音読には、元気ややる気の源である脳の働きを活性化させてくれる効果があるからです。

目の前の文章を声に出して読む。誰でも何気なくできることですが、じつはこの音読の過

音読で元気になる3STEP

STEP 1

文字を見る

大脳の後ろにある後頭葉は、目で見たものを感じる働きをします。まずここで、いろいろな種類の文字を認識します。

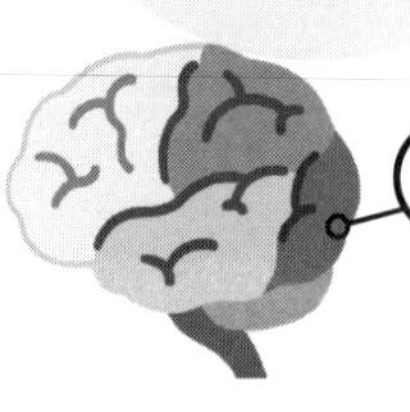

程で、脳の様々な部分が使われています。

まず、文字を見る時に「後頭葉（こうとうよう）」という部分を使います。日本語には漢字、ひらがな、カタカナがあります。後頭葉はこれらの文字を瞬時に理解してくれます。そして次に「頭頂葉（とうちょうよう）」という部分を使います。頭頂葉は文字のバランスを把握するために働きます。また、音読する時には一時的に文章の一部を記憶する必要があります。この時に機能するのが「側頭葉（そくとうよう）」です。最後に機能するのが「左前頭葉（ひだりぜんとうよう）」。話したり、考えたり、運動するために欠かせない部分で、音読の時にも、自分のイメージ通りの声の大きさやテンポで読むように身体に指令を出してくれます。

さらに、ひとつひとつの文字は、単なる記号

STEP 2

文字を理解して記憶する

頭のてっぺんにある頭頂葉は文字を読み書きする時に機能します。脳の側面の側頭葉では文章を記憶します。

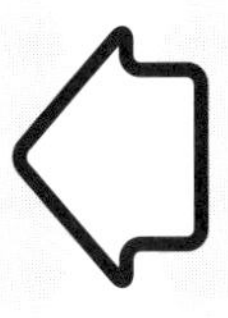

STEP 3

声に出して読む

発声する時には、大脳の左前にある左前頭葉が機能します。正しい音やテンポで読むための指令を出してくれます。

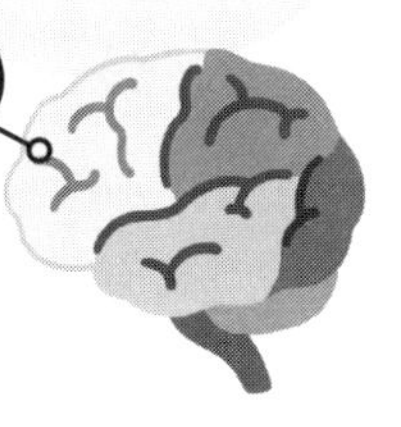

脳全体を使うから活力アップ！

でしかありませんが、脳の機能により、文字が連なって単語となり、その単語が組み合わさり、意味のある文章になります。このように、音読では脳の様々な部分を使うため、脳が活性化して、ストレス解消になったり、認知症予防にもなるのです。

読書を楽しみたい時は黙読で構いませんが、音読では声に出す時に、どういう声色にするか、どのくらいの音量にするか、どんなテンポで読むか意識する必要があります。そして何より声に出そうという意欲も必要です。そのため、音読することでより前向きな気持ちになれるのです。そして口や舌や喉、耳も使うため五感が刺激され、情緒（感情）も豊かになります。音読で元気になれば、うれしい、楽しいという気持ちも、食事の美味しさも、花の美しさや香りも、より鮮明に感じられるようになるでしょう。

音読は１人でできるものですが、夫婦で音読し合ったり、仲間やパートナーと音読会を開くのも効果的です。自分の声を相手にどのように伝えるか意識するため、音読の効果はより高まります。

この本では、国語の教科書に載るような名文をたくさん掲載しています。どの文章から音読しても構いません。いろいろなタイプの文章を音読することで、自分にぴったり合った文章を見つけられるでしょう。

１日１分、音読を続けて、心も身体も元気な毎日をキープしましょう。

音読のメリット

音読を続けることで、いろいろな効果が期待できます。音読のおもなメリットを紹介しましょう。

1 活力アップ

音読では脳の全体を使うため、読めば読むほど脳が活性化します。そして音読を続けていくと元気ややる気といった活力がわいてきます。

2 ストレス解消

文章を声に出して読むことで、自分でも気付かないうちに気持ちが高まることがあります。しっかり口を開いて音読し、ストレスを解消しましょう。

3 情緒が豊かに

音読では脳だけでなく、口や耳も使うため、五感が敏感になります。情緒が豊かになることで毎日の生活がより楽しくなるでしょう。

4 認知症予防に

音読は、見る、話す、聞くを同時に行うため、脳に刺激が与えられ認知症予防にもなります。また、言葉が出やすくなる効果もあります。

目次

第2章 リフレッシュする音読

第3章 心が落ち着く音読

この本の使い方

この本は、初めから読んでもどこから読んでも構いません。「音読ポイント」を参考にして読むと、音読がより楽しめます。

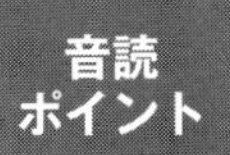

音読する時に意識したいポイントがまとめてあります。

音読する文章

小説や詩、俳句などがあります。好きな文章を音読しましょう。

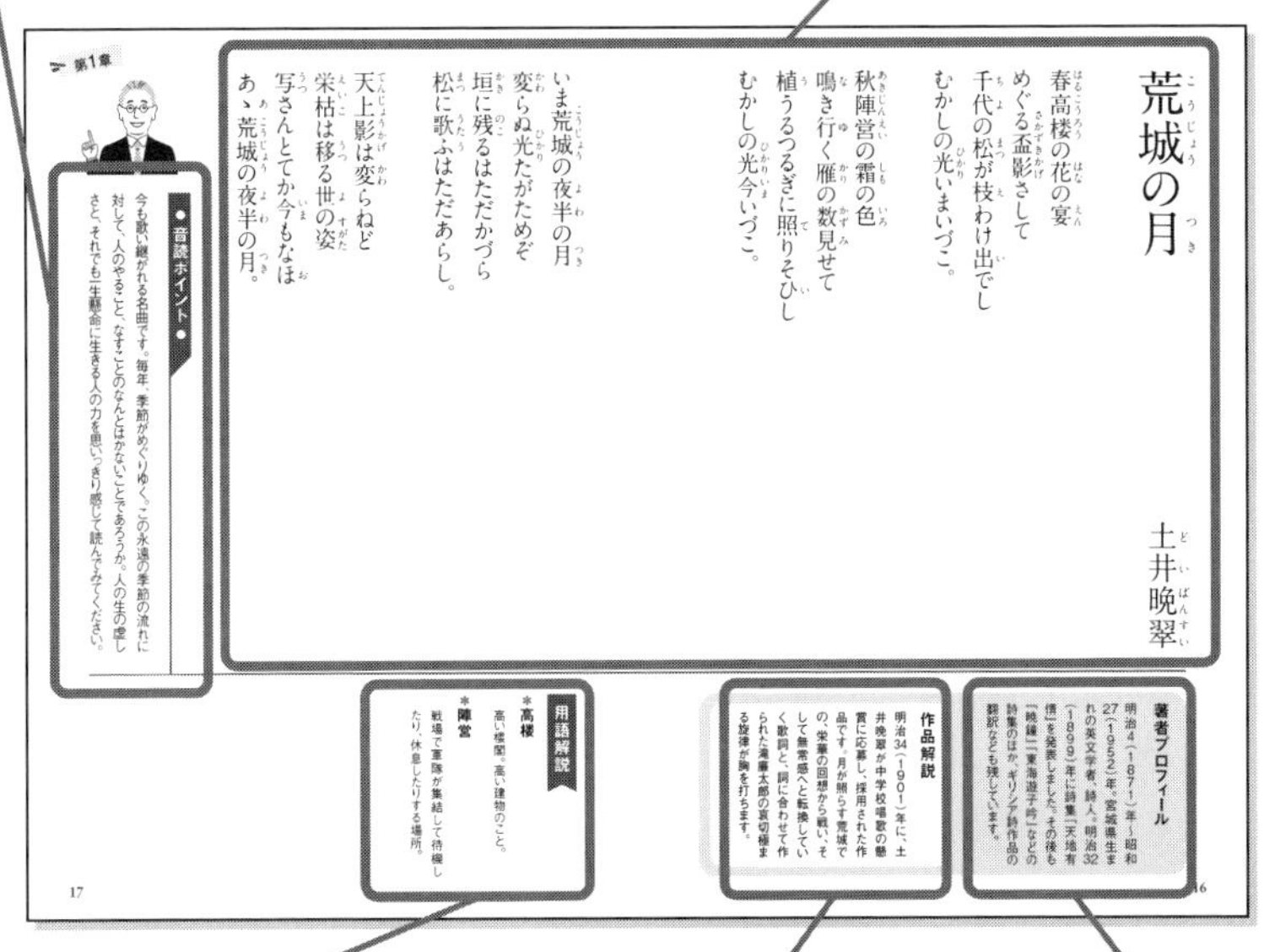

荒城の月

土井晩翠

春高楼の花の宴
めぐる盃影さして
千代の松が枝わけ出でし
むかしの光いまいづこ。

秋陣営の霜の色
鳴き行く雁の数見せて
植うるつるぎに照りそひし
むかしの光今いづこ。

著者プロフィール

明治4（1871）年〜昭和27（1952）年。宮城県生まれの英文学者、詩人。明治32（1899）年に詩集『天地有情』を発表しました。その後も『暁鐘』『東海遊子吟』などの詩集のほか、ギリシア詩作品の翻訳なども残しています。

作品解説

明治34（1901）年に、土井晩翠が中学校唱歌の懸賞に応募し、採用された作品です。月が照らす荒城での、栄華の回想から戦い、そして無常感へと転換していく歌詞と、詞に合わせて作られた滝廉太郎の哀切極まる旋律が胸を打ちます。

16

第1章

いま荒城の夜半の月
変らぬ光たがためぞ
垣に残るはただかづら
松に歌ふはただあらし。

天上影は変らねど
栄枯は移る世の姿
写さんとてか今もなほ
あゝ荒城の夜半の月。

● 音読ポイント ●

今も歌い継がれる名曲です。毎年、季節がめぐりゆく。この永遠の季節の流れに対して、人のやること、なすことのなんとはかないことであろうか。人の生の虚しさと、それでも一生懸命に生きる人の力を思いっきり感じて読んでみてください。

用語解説

＊高楼
高い楼閣。高い建物のこと。

＊陣営
戦場で軍隊が集結して待機したり、休息したりする場所。

17

用語解説

意味が難しい言葉やあまり使われない言葉を解説しています。

作品解説

作品が書かれた時代や作品のテーマについて解説しています。

著者プロフィール

どのような人がこの文章を執筆したのか解説しています。

正しい姿勢で効果アップ！

音読をする時は背筋を伸ばして口を大きく開けましょう。息をゆっくり吐くように読むと効果的です。時間帯は朝がおすすめです。音読で身体も心もシャキッとします。

第1章

元気になるテンポの音読

しっかり音読をすると、
頭と心が活性化します。
活力がわいてきて、
ポジティブな気持ちになります！

さわりから名文を選んでみよう

雨ニモマケズ

宮沢賢治

雨ニモマケズ
風ニモマケズ
（中略）
東ニ病気ノコドモアレバ
行ッテ看病シテヤリ
西ニツカレタ母アレバ
行ッテソノ稲ノ束ヲ負ヒ
南ニ死ニサウナ人アレバ
行ッテコハガラナクテモイヽトイヒ
北ニケンクヮヤソショウガアレバ

著者プロフィール

明治29（1896）年～昭和8（1933）年。岩手県生まれ。花巻農学校の教諭の傍ら、童話や詩を作り続けました。『銀河鉄道の夜』『風の又三郎』など作品の多くが死後、友人の草野心平らの尽力で世に知られるようになりました。

作品解説

昭和6（1931）年、宮沢賢治の手帳に書かれた詩です。この時賢治は病の床で、自らの死を意識する状態でした。その中で、生涯を通じ農村の人々と苦労を分け合った人生を顧みつつ、前を向き理想を語っています。

ツマラナイカラヤメロトイヒ
ヒドリノトキハナミダヲナガシ
サムサノナツハオロオロアルキ
ミンナニデクノボートヨバレ
ホメラレモセズ
クニモサレズ
サウイフモノニ
ワタシハナリタイ

● 音読ポイント ●

どんな人になりたいか、と考えた時に、こんなふうに書いて、自分を鼓舞することができたらいいなと思います。宮沢賢治のように、自分でも『雨ニモマケズ』のような言葉を書いて、毎日音読してみてはいかがでしょうか。

荒城の月

土井晩翠

春高楼の花の宴
めぐる盃影さして
千代の松が枝わけ出でし
むかしの光いまいづこ。

秋陣営の霜の色
鳴き行く雁の数見せて
植うるつるぎに照りそひし
むかしの光今いづこ。

著者プロフィール

明治4（1871）年～昭和27（1952）年。宮城県生まれの英文学者、詩人。明治32（1899）年に詩集『天地有情』を発表しました。その後も『暁鐘』『東海遊子吟』などの詩集のほか、ギリシア詩作品の翻訳なども残しています。

作品解説

明治34（1901）年に、土井晩翠が中学校唱歌の懸賞に応募し、採用された作品です。月が照らす荒城での、栄華の回想から戦い、そして無常感へと転換していく歌詞と、詞に合わせて作られた滝廉太郎の哀切極まる旋律が胸を打ちます。

いま荒城の夜半の月
変らぬ光たがためぞ
垣に残るはただかづら
松に歌ふはただあらし。

天上影は変らねど
栄枯は移る世の姿
写さんとてか今もなほ
あゝ荒城の夜半の月。

● 音読ポイント ●

今も歌い継がれる名曲です。毎年、季節がめぐりゆく。この永遠の季節の流れに対して、人のやること、なすことのなんとはかないことであろうか。人の生の虚しさと、それでも一生懸命に生きる人の力を思いっきり感じて読んでみてください。

用語解説

＊高楼
高い楼閣。高い建物のこと。

＊陣営
戦場で軍隊が集結して待機したり、休息したりする場所。

道程

高村光太郎

ああ
人類の道程は遠い
そして其の大道はない
自然の子供等が全身の力で
拓いて行かねばならないのだ
歩け、歩け
どんなものが出て来ても乗り越して歩け
この光り輝やく風景の中に踏み込んでゆけ

著者プロフィール

明治16（1883）年〜昭和31（1956）年。東京生まれ。東京美術学校を卒業後欧米に留学し、彫刻や詩作に専念。詩集『道程』を発表。さらに妻との愛を綴った作品『智恵子抄』などを刊行しています。

作品解説

大正3（1914）年に自費出版された詩集に収録された作品。西欧で学んだ著者が、それまでの日本のスタイルとは違う口語体で綴った詩です。青年が独り立ちし、自らを確立していく意志を謳った一編となっています。

僕の前に道はない
僕の後ろに道は出来る
ああ、父よ
僕を一人立ちにさせた父よ
僕から目を離さないで守る事をせよ
常に父の気魄を僕に充たせよ
この遠い道程の為め

● 音読ポイント ●

我々はどこから来て、どこへ行くのでしょうか。未来永劫、人の道が続くとすれば、心を込めて歩む力が必要です。その力を、我々は祖先からもらっています。彼らが我々を見守ってくれています。気概を持って読みましょう。

用語解説

＊**気魄**　ひるむことなく立ち向かってゆく意気込みや精神力。

がまの油

作者不詳

さて、いよいよ　手前　ここに取り出しましたるが
それ　その　陣中膏はガマの油だ。
だが　お立ち会い。
蝦蟇　蝦蟇と　一口に云っても
そこにも居る　ここにもいるという蝦蟇とは、
ちと　これ　蝦蟇が違う。
ハハア、蝦蟇かい。
なんだ　蝦蟇んか　俺んちの縁の下や　流し下にもぞろぞ
ろいる。

著者プロフィール

作者不詳ですが、一説では筑波の永井兵助という人物が、江戸での商売に失敗した帰り道、神社でがまの油売りを見かけ江戸で売ろうと思い、がま石に上り1週間考え、この口上を思いついたことから始まったといわれています。

作品解説

江戸時代に使われた軟膏「がまの油」を販売するための売り口上です。侍の格好をした演者が、口上と共に紙を切ったり、怪我をしたふりをしてがまの油を塗り、治癒する様子をコミカルに演じて客を引き寄せます。

裏の竹藪にだって蝦蟇なら　いくらでもいる　なんていう顔している方がおりますけれども、あれは　蝦蟇とは言わない。
ただのヒキ蛙、疣蛙、御玉蛙か　雨蛙　青蛙
何の薬石・効能はございませぬけれども、
手前のは、これ四六の蝦蟇だ。四六の蝦蟇だ。

● 音読ポイント ●

江戸時代、筑波山名物として土産物に売られていた傷薬。これを売るのに、街頭で読んでいたのが、「がまの油売り」という口上です。"フーテンの寅さん"になったつもりで読んでみると楽しいかもしれません。

用語解説

***蝦蟇**
ヒキガエルの俗称として使われています。ヒキガエルには多くの別名があり、その別名の中のひとつ。

***薬石**
いろいろな種類の薬や治療法のこと。

森の石松　三十石船道中

二代目　広沢虎造

旅行けば、駿河の道に茶の香り。流れも清き太田川、若鮎躍るころとなる。

松の緑の色も冴え、遠州森町良い茶の出どこ。娘やりたや、お茶摘みに。ここは名代の火伏の神、秋葉神社の参道に、産声あげし快男児。昭和の御代まで名を残す、遠州森の石松を、不便ながらも務めます。八軒屋から伏見に渡す渡し船は、三十石といいますから、かなり大きい船でしょう。これぇ石松っさんが乗り込んで、余計なお宝払って、胴の間のところ、畳一畳ばかりを借り切って、親分には内緒だが、途中で買ってきた小さな酒樽、ふちの欠けた湯呑みに注

著者プロフィール

明治32（1899）年～昭和39（1964）年。東京都出身の浪曲師。少年時代から浪曲を好み、長じて広沢虎吉に弟子入りして二代目広沢虎造を襲名します。明朗な語り口で、『清水次郎長伝』や『国定忠治』などの浪曲を得意としました。

作品解説

大正11（1922）年頃の浪曲。清水次郎長の子分・森の石松の金比羅山への代参と、大阪～京都までの三十石での旅を描いています。滑稽な調子や他の部分で登場する「すし食いねえ」などの台詞は、後世にも影響を与えています。

いで飲む。大阪本町橋の名物、押し鮨を脇に置いて、酒を飲み、鮨を食べているうちに、船が川の半ばへ出る。

乗り合い衆の話、利口が馬鹿になって大きな声でしゃべる。つまり退屈しのぎ。この話を黙って聞いているとおもしろい。お国自慢に名物自慢、仕舞いには豪傑の話が出る。

「武蔵坊弁慶と野見宿禰が相撲を取ったらどっちが強いだろう」

「へん、つまらねえ話をしていやがる。弁慶と野見宿禰が相撲をとってたまるかい。だけどおもしれぇな。この話が酒の肴になるからな」

● 音読ポイント ●

「浪曲」は、講談と同じで、大正時代以来、聞く人も減ってしまいましたが、浪曲は、日本語のリズムを伝える代表的なもの。声を出して読んでみると、懐かしい響きが聞こえてきます。リズムよく読んでみてください。

用語解説

＊火伏
火災を防ぐこと。

＊快男児
気性のさっぱりとした感じのよい男。男らしい男。

＊三十石
「三十石船」の略。三十石船とは、江戸時代に伏見から大坂への酒や米などの輸送船として運行された和船の一種。米三十石相当の積載能力を有することから名付けられました。

＊豪傑
才知・武勇に並み外れてすぐれていて、強く勇ましい人。

走れメロス

太宰治

　山賊たちは、ものも言わず一斉に棍棒を振り挙げた。メロスはひょいと、からだを折り曲げ、飛鳥の如く身近かの一人に襲いかかり、その棍棒を奪い取って、「気の毒だが正義のためだ！」と猛然一撃、たちまち、三人を殴り倒し、残る者のひるむ隙に、さっさと走って峠を下った。一気に峠を駈け降りたが、流石に疲労し、折から午後の灼熱の太陽がまともに、かっと照って来て、メロスは幾度となく眩暈を感じ、これではならぬ、と気を取り直しては、よろよろ二、三歩あるいて、ついに、がくりと膝を折った。立ち上る事が

著者プロフィール

明治42（1909）年〜昭和23（1948）年。大学中退後、左翼活動に傾倒するも挫折。自殺未遂や薬物中毒を繰り返しながらも『走れメロス』『斜陽』などを発表。破滅型の作品が多く、自身も『人間失格』を残し入水自殺しました。

作品解説

昭和15（1940）年発表の短編小説です。自らが処刑されると知りつつ友情を守るメロスと、人間不信の王の物語。信頼や友情を讃えるかのように見せ、その背後で人間の弱さや移ろいやすさを巧みに描いた寓話です。

出来ぬのだ。天を仰いで、くやし泣きに泣き出した。ああ、あ、濁流を泳ぎ切り、山賊を三人も撃ち倒し韋駄天、ここまで突破して来たメロスよ。真の勇者、メロスよ。今、ここで、疲れ切って動けなくなるとは情無い。愛する友は、おまえを信じたばかりに、やがて殺されなければならぬ。おまえは、稀代の不信の人間、まさしく王の思う壺だぞ、と自分を叱ってみるのだが、全身萎えて、もはや芋虫ほどにも前進かなわぬ。路傍の草原にごろりと寝ころがった。

●音読ポイント●

力なく動けなくなったメロスを描いていますが、明るい文章ですね。正義感に満ちたメロスの心は、美しく強く描かれます。作者の心が求めていたのは、こういう強さだったに違いありません。堂々と大きな声で読んでみてください。

用語解説

＊韋駄天
仏教の天神のひとつ。釈迦が涅槃（ねはん）の後、仏舎利を盗んだ捷疾鬼（しょうしつき）を追いかけて取り返したという俗説があり、足の速い神とされ、足の速い人のたとえにされています。

＊稀代
他に類を見ないほどまれなこと。

＊萎える
気力や体力が衰えて弱ること。

怪人二十面相

江戸川乱歩

明智は、また一同の顔をグルッと見まわしておいて、ことばをつづけました。

「ほかでもありません。三人は、二十面相一味のために誘かいされたのです。」

「え、誘かいされた？　それはいつのことです。」

館員がさけびました。

「きのうの夕方、三人がそれぞれ夜勤をつとめるために、自宅を出たところをです。」

「え、え、きのうの夕方ですって？　じゃあ、ゆうべここにいた三人は……。」

「二十面相の部下でした。ほんとうの宿直員は賊の巣くつへおしこ

著者プロフィール

明治27（1894）年～昭和40（1965）年。三重県出身。貿易会社勤務や古本商、新聞記者などを経て『二銭銅貨』で作家デビュー。その後『陰獣』や『人間椅子』など怪作を発表し、日本のホラー・推理小説の大家となりました。

作品解説

昭和11（1936）年発表の小説。少年探偵や名探偵・明智小五郎、そして怪人二十面相と、現代の探偵作品でも頻繁に言及される人物が登場した初の作品です。劇的なトリックや活劇シーンに胸躍る作品です。

めておいて、そのかわりに賊の部下が博物館の宿直をつとめたのです。なんてわけのない話でしょう。

　賊が見はり番をつとめたんですから、にせものの美術品のおきかえなんて、じつに造作もないことだったのです。みなさん、これが二十面相のやり口ですよ。人間わざではできそうもないことを、ちょっとした頭のはたらきで、やすやすとやってのけるのです。」

　明智探偵は、二十面相の頭のよさをほめあげるようにいって、ずっと手をつないでいた館長北小路老博士の手首を痛いほど、ギュッとにぎりしめました。

● 音読ポイント ●

難事件を鮮やかに解決する名探偵・明智小五郎は、敵と対峙する時でも、クールに穏やかな姿勢を崩しません。このシーンは、明智小五郎が謎の種明かしを始める一番の見どころです。堂々と、滔々と読んでみてください。

用語解説

＊宿直
勤務先に勤務者が交替で泊まり、夜の警備にあたること。

＊造作もない
手間がかからないことや容易であることを意味します。

平家物語

作者不詳

その子共は皆諸衛佐に成りて昇殿せしに殿上の交はりを人嫌ふに及ばず。ある時忠盛備前国より都へ上りたりけるに鳥羽院御前へ召して、明石浦はいかに、と仰せければ忠盛

有明の月もあかしの浦風に浪ばかりこそよるとみえしか

と申されたりければ斜めならずに御感ありてやがてこの歌をば金葉集にぞ入れられける

著者プロフィール

吉田兼好の『徒然草』によると、信濃前司行長が作者で、生仏という盲目の僧に教えて語らせたとありますが、定かではありません。成立年も不詳で、鎌倉時代前半までには現在のような形になったとされています。

作品解説

成立は鎌倉前期（1240年以前）とされる文学です。平清盛ら平家の一族が、一度は栄華を誇るも、源氏との争いに敗れ滅んでいく様を、平家の視点から描いた物語で、琵琶法師によって哀切を込めて謡い継がれました。

現代語訳

忠盛の子たちは皆六衛府の次官に就いて昇殿するようになったが、もう人々は殿上での存在をあれこれ言えなくなっていた。ある時、忠盛が備前国から上洛したので、鳥羽上皇が御前に召して、明石の浦はどうであった、と仰せられると、忠盛は、

有明の月もあかしの浦風に、ただ波ばかりよると見えました

と詠んだので、とても感動され、すぐさまこの歌を金葉集に収められた。

● 音読ポイント ●

『平家物語』は、長い間、琵琶の哀しい音色と共に謡われてきた文学です。また目が不自由な人が伝えた「音」による文学の伝承です。琵琶の音をバックミュージックとして聞きながら、読んでみてはいかがでしょうか。

用語解説

＊昇殿
平安以後の朝廷において、上位の貴族が、家格や功績によって宮中の清涼殿にある殿上の間に昇ることを許されたこと。

＊殿上
天皇の生活の場である清涼殿の殿上の間に昇ることを許された人。殿上人。

＊明石浦
兵庫県明石市にある明石海峡を臨む海岸。いまは海岸が埋め立てられ、当時の面影はありません。

＊金葉集
『金葉和歌集』の略。金葉和歌集は、平安後期の第五勅撰和歌集。天治元(1124)年、白河院の命により源俊頼が撰進。

楼門五三桐

初代 並木五瓶

絶景かな絶景かな。春の詠めは価千金とは小さなたとえ、この五右衛門が目からは万両。もはや日も西に傾き、誠に春の夕暮の桜は、とりわけ一入 一入。はて、麗らかなながめじゃなあ。（中略）

往昔、神宗皇帝、この日本の幕下につけんと、使節をもって願いしを、久吉、使節を捕虜となし、再び本国へ帰さざりしゆえ、皇帝の無念散ぜんため、我は子を乳人に

著者プロフィール

延享4（1747）年～文化5（1808）年。大坂の道頓堀生まれの劇作家。歌舞伎役者の初代尾上菊五郎や初代嵐雛助のために作品を書き、『天満宮菜種御供』『金門五三桐』といった人気作を連発。京都や大阪を代表する劇作家となりました。

作品解説

安永7（1778）年初演の歌舞伎の演目『楼門五三桐』のうち、南禅寺山門の場を単独上演するものです。山門上で石川五右衛門が「絶景かな、絶景かな」と語るシーンは現在も旅行者の真似の定番となっています。

預け、密かにこの土へ渡海なし、箱崎に地に世を忍ぶうち、計らずも、和国の女にかたらい、男女二人を儲く、唐と和朝に三人の我が嫡子を世に立てんと、江北一株の枳、江南二株の橘、すべて金錠を掛け、扶桑にはびこると、玄海が嶋に石碑を建てしを、さとくも叛逆むほんとさっし、真柴久吉がために相果て終わんぬ。

●音読ポイント●

京都の南禅寺の山門の屋上で、煙草を吹かしながら、天下を狙う大泥棒、石川五右衛門の台詞です。鷹が、手紙をくわえて飛んで来ます。その手紙を読むと、自分の出生の秘密が！　驚きの口調で読んでみてください。

用語解説

＊値千金
千金もの値打ちがあること。物事の価値を高く評価することを意味します。

＊神宗皇帝
中国、北宋第6代の皇帝（在位1067年〜1085年）。神宗皇帝が即位したとき、宋は開国100年にさしかかっていました。

＊乳人
生みの親に代わって子育てをする女性のこと。

＊嫡子
家督を相続する者のこと。

怪談牡丹灯籠

三遊亭圓朝

さて飯島平太郎様は、お年二十二の時に悪者を斬殺して毫も動ぜぬ剛気の胆力でございましたれば、お年を取るに随い、益々智慧が進みましたが、その後御親父様には亡くなられ、平太郎様には御家督を御相続あそばし、御親父様の御名跡をお嗣ぎ遊ばし、平左衛門と改名され、水道端の三宅様と申上げますするお旗下から奥様をお迎えになりまして、程なく御出生のお女子をお露様と申し上げ、頗る御器量美なれば、御両親は掌中の璧と愛で慈しみ、後にお子供が出来ませず、一粒種の事なれば猶さらに撫育される

著者プロフィール

天保10（1839）年 ～明治33（1900）年。幕末～明治の落語家。人情噺や怪談噺といった、講談のような落語を得意とし、自身でも『塩原多助一代記』『牡丹燈籠』『死神』などの、現在まで演じ続けられる作品を数多く生みました。

作品解説

文久元（1861）年～元治元（1864）年に作られた落語の怪談噺です。浪人・萩原新三郎の下に夜な夜な訪れる美しい怨霊・お露との美しくも恐ろしい物語で、中国の怪異小説『牡丹燈記』を下敷きにしつつ日本風に翻案されています。

中、隙ゆく月日に関守なく、今年は早や嬢様は十六の春を迎えられ、お家もいよいよ御繁昌でございましたが、盈つれば虧くる世のならい、奥様には不図した事が元となり、遂に帰らぬ旅路に赴かれましたところ、此の奥様のお附の人に、お国と申す女中がございまして、器量人並に勝れ、殊に起居周旋に如才なければ、殿様にも独寝の閨淋しいところから早晩此のお国にお手がつき、お国は到頭お妾となり済しましたが、奥様のない家のお妾なればお羽振もずんと宜しい。

● 音読ポイント ●

読むと、どこで切れるのかと思うほど、長い文章が続きます。「読点」で、息継ぎをしながら読んでください。明治時代の名人・三遊亭圓朝の落語の速記です。こういうものが読めるようになると、音読も楽しくなってきます。

用語解説

***家督**
家の財産あるいはそれに付随する地位のこと。

***名跡**
代々受け継がれていく名字・家名のこと。

***一粒種**
親から見た、唯一の子ども。ひとりっ子。

***妾**
本妻以外で関係を持ち、生活の面倒をみている女性。

坊っちゃん

夏目漱石

ぶうと云って汽船がとまると、艀が岸を離れて、漕ぎ寄せて来た。船頭は真っ裸に赤ふんどしをしめている。野蛮な所だ。もっともこの熱さでは着物はきられまい。日が強いので水がやに光る。見つめていても眼がくらむ。事務員に聞いてみるとおれはここへ降りるのだそうだ。見るところでは大森ぐらいな漁村だ。人を馬鹿にしていらあ、こんな所に我慢が出来るものかと思ったが仕方がない。威勢よく一番に飛び込んだ。続づいて五六人は乗ったろう。外に大きな箱を四つばかり積

著者プロフィール

慶応3（1867）年～大正5（1916）年。東京帝国大学英文科卒業後に英国留学。その後、一高、東大の講師になりますが間もなく、『吾輩は猫である』『坊っちゃん』『草枕』など人気作を発表。晩年の門下生には、芥川龍之介などがいます。

作品解説

明治39（1906）年発表の小説。「坊っちゃん」が、周囲の無気力さやずる賢い人々に反発し、学校を辞めるまでの1カ月間を描いた作品です。コミカルで人情味にあふれた勧善懲悪の物語となっています。

み込んで赤ふんは岸へ漕ぎ戻して来た。陸へ着いた時も、いの一番に飛び上がって、いきなり、磯に立っていた鼻たれ小僧をつらまえて中学校はどこだと聞いた。小僧はぼんやりして、知らんがの、と云った。気の利かぬ田舎ものだ。猫の額ほどな町内の癖に、中学校のありかも知らぬ奴があるものか。ところへ妙な筒っぽうを着た男がきて、こっちへ来うと云うから、尾いて行ったら、港屋とか云う宿屋へ連れて来た。

● 音読ポイント ●

江戸っ子の漱石が、愛媛県松山市に先生として赴任します。若さに満ちて、田舎の人を小馬鹿にした態度の漱石。やんちゃで気ままで、誰にも負けないという自信をみなぎらせて、力強く読んでみてはいかがでしょうか。元気が出ます！

用語解説

＊艀
艀船の略。河川、運河、湾内などで、本船と陸との間を往復して貨物や乗客を運ぶ小舟。

＊野蛮
文化が開けていないことや未開なさまを指します。

＊猫の額
場所や土地の面積が非常に狭いことのたとえ。

＊筒っぽう
筒袖（和服で袂がない筒型の袖）の着物。江戸時代、子どもの着物や大人の肌着として用いられました。

この道（みち）

北原白秋（きたはらはくしゅう）

この道（みち）は　いつか来（き）た道（みち）
ああ　そうだよ
あかしやの花（はな）が咲（さ）いてる

あの丘（おか）は　いつか見（み）た丘（おか）
ああ　そうだよ
ほら　白（しろ）い時計台（とけいだい）だよ

この道（みち）は　いつか来（き）た道（みち）

著者プロフィール

明治18（1885）年〜昭和17（1942）年。早稲田大学在学中から詩作を行い、処女作『邪宗門』を発表しました。その後『東京景物詩』『桐の花』などの詩歌と共に『とんぼの眼玉』『待ちぼうけ』などの童謡も世に送り出しています。

作品解説

大正15（1926）年に発表された童謡で、翌年曲が付けられました。「あかしやの花」「時計台」などが前半に見え、後半は母の実家の熊本県の情景が詠まれています。

ああ　そうだよ
お母さまと馬車で行ったよ
あの雲も　いつか見た雲
ああ　そうだよ
山査子の枝も垂れてる

● 音読ポイント ●

高村光太郎の『道程』が、人類の遠い将来を観るような広大なものに対して、白秋の『この道』は、優しさと郷愁に満ちています。いろいろな「道」があります。「道」のことを考えながら読むと、読むのが楽しくなります。

用語解説

＊あかしや

この歌詞にある「あかしや」とは、北米原産のマメ科ハリエンジュ属の落葉高木ニセアカシアのことをいいます。5月頃に白い房状の花を咲かせます。

＊山査子

バラ科の落葉低木。中国原産で、江戸中期に薬用植物として渡来。春、枝先に白色の五弁の花を咲かせます。果実は、秋に赤または黄色に熟します。

国定忠治　赤城山

行友李風

忠治　赤城の山も今宵限り、生まれ故郷の国定村や、縄張りを捨て国を捨て、可愛い乾分の手前たちとも別れ別れになる首途だ

定八　そう云や何だか嫌に寂しい気がしやすぜ。

　雁の声。

巌鉄　あゝ、雁が鳴いて南の空へ飛んで往かあ。

忠治　月も西山に傾くようだ。

定八　俺ぁ明日あどっちへ行こう？

忠治　心の向くまゝ足の向くまゝ、あても果しもねえ旅へ立つのだ。

著者プロフィール

明治10（1877）～昭和34（1959）年。広島県出身の劇作家、小説家。新聞記者から松竹の文芸部に転身し、沢田正二郎率いる新国劇の座付作家に就任します。その後『月形半平太』や『国定忠治』などのヒット作を連発しました。

作品解説

新国劇の代表作『国定忠治』の名シーン「赤城の山も今宵限り」の名調子で知られる赤城の山の場面です。アウトローながら義理に厚く、悪を挫き民を助けた大親分と子分の惜別シーンを、哀切を込めて描いています。

定八・巖鉄　親分！
　笛の音が聞こえる
定八　あゝ円蔵兄哥が……。
忠治　あいつもやっぱり、故郷の空が恋しいんだろう。
　忠治、一刀を抜いて溜池の水に洗い、刃を月光にかざし――
忠治　加賀の国の住人小松五郎義兼が鍛えた業物、万年溜の雪水に浄めて、俺にゃあ、生涯手前という強い味方があったのだ。

●音読ポイント●

国定忠治、本名は長岡忠治郎。生まれは上州佐位郡国定村（現・群馬県伊勢崎市国定町）。博徒だったが天保の大飢饉の時に農民たちを救済。「赤城の山も今宵限り」という言葉は広く知られました。力を込めて読んでみてください。

用語解説

＊赤城
群馬県中部にある渋川市北東部の旧村域。

＊雁
カモ目カモ科の水鳥のうち、ハクチョウ類を除いた大形の水鳥の総称。北の繁殖地から日本へやって来る冬の渡り鳥です。

＊業物
名工の作った、切れ味の優れた刀剣のこと。

女生徒

太宰治

あさ、眼をさますときの気持は、面白い。かくれんぼのとき、押入れの真っ暗い中に、じっと、しゃがんで隠れていて、突然、でこちゃんに、がらっと襖をあけられ、日の光がどっと来て、でこちゃんに、「見つけた!」と大声で言われて、まぶしさ、それから、へんな間の悪さ、それから、胸がどきどきして、着物のまえを合せたりして、ちょっと、てれくさく、押入れから出て来て、急にむかむか腹立たしく、あの感じ、いや、ちがう、あの感じでもない、なんだか、もっとやりきれない。箱をあけると、

著者プロフィール

明治42(1909)年〜昭和23(1948)年。大学中退後、左翼活動に傾倒するも挫折。自殺未遂や薬物中毒を繰り返しながらも『走れメロス』『斜陽』などを発表。破滅型の作品が多く、自身も『人間失格』を残し入水自殺しました。

作品解説

昭和14(1939)年発表の短編小説です。ある文学少女の1日を、日記を通して語っていくスタイルの物語で、思春期にありがちな自己愛と自己否定の間で揺れ動く、矛盾した心理を交えて表現しています。

その中に、また小さい箱があって、その小さい箱をあけると、またその中に、もっと小さい箱があって、そいつをあけると、また、また、小さい箱があって、その小さい箱をあけると、また箱があって、そうして、七つも、八つも、あけていって、とうとうおしまいに、さいころくらいの小さい箱が出て来て、そいつをそっとあけてみて、何もない、からっぽ、あの感じ、少し近い。

● 音読ポイント ●

女性には「箸が転んでもおかしい」という年頃があるといわれます。この文章は、『枕草子』をもじって書かれました。この後に「朝は、意地悪」と出てきます。「眼鏡は、お化け」とも出てきます。とてもユニークな文章です。

鮨

岡本かの子

　東京の下町と山の手の境い目といったような、ひどく坂や崖の多い街がある。（中略）

　福ずしの店のあるところは、この町でも一ばん低まったところで、二階建の銅張りの店構えは、三四年前表だけを造作したもので、裏の方は崖に支えられている柱の足を根つぎして古い住宅のままを使っている。

　古くからある普通の鮨屋だが、商売不振で、先代の持主は看板ごと家作をともよの両親に譲って、店もだんだん行き立って来た。

　新らしい福ずしの主人は、もともと東京で屈指の鮨店で

著者プロフィール

明治22（1889）年～昭和14（1939）年。東京生まれの小説家、歌人。芸術家・岡本太郎の母としても知られます。若い頃は歌人として知られており、代表的な小説『鶴は病みき』や『鮨』などは名文といわれます。

作品解説

昭和14（1993）年の短編小説。下町の鮨屋の看板娘・ともよと、常連客の湊との交流が描かれます。繁栄と没落の対比や、それぞれが抱く孤独感の描写だけでなく、独特な比喩で表現される鮨の描写も見事な作品です。

腕を仕込んだ職人だけに、周囲の状況を察して、鮨の品質を上げて行くに造作もなかった。前にはほとんど出まえだったが、新らしい主人になってからは、鮨盤の前や土間に腰かける客が多くなったので、始めは、主人夫婦と女の子のともよ三人きりの暮しであったが、やがて職人を入れ、子供と女中を使わないでは間に合わなくなった。

店へ来る客は十人十いろだが、全体に就ては共通するものがあった。

●音読ポイント●

芸術家・岡本太郎のお母さんが書いた文章です。太郎を溺愛し、太郎も母親が大好きでした。でも母親は、その愛をどう伝えていいのかわかりませんでした。ただ、文章に関して言えば、岡本かの子は、川端康成が絶賛した文章家です。

用語解説

＊下町
都会で、高台の上町に対して、低地にある町。多くは商工業地になっています。

＊山の手
都会で、高台にある地域。武家屋敷や寺院が多いです。

＊家作
人に貸して収入を得るためにつくった持ち家。

＊造作もない
手間がかからないことや容易であることを意味します。

第2章

リフレッシュする音読

大きな声を出すと
ストレス解消になります!
音読で気持ちをリフレッシュさせて、
心身ともに健やかに過ごしましょう。

さわりから名文を選んでみよう

初恋（はつこい）

島崎藤村（しまざきとうそん）

まだあげ初（そ）めし前髪（まえがみ）の
林檎（りんご）のもとに見（み）えしとき
前（まえ）にさしたる花櫛（はなぐし）の
花（はな）ある君（きみ）と思（おも）ひけり

やさしく白（しろ）き手（て）をのべて
林檎（りんご）をわれにあたへ（え）しは
薄紅（うすくれない）の秋（あき）の実（み）に
人（ひと）こひ初（い）めし（そ）はじめなり

著者プロフィール

明治5（1872）年〜昭和18（1943）年。明治学院卒業後、教職に就きながら詩作を発表していきました。自費出版した長編『破戒』が夏目漱石らに認められると、自然主義文学の旗手となり、『家』『新生』などの作品を発表しました。

作品解説

明治30（1897）年に発表された処女作『若菜集』に収録された作品。少年・青年期の若々しく、みずみずしい初恋の思いが七五調で語られます。この詩集には『初恋』以外にも、ロマンにあふれる歌で満ちています。

わがこゝろなきためいきの
その髪の毛にかゝるとき
たのしき恋の盃を
君が情に酌みしかな

林檎畑の樹の下に
おのづからなる細道は
誰が踏みそめしかたみぞと
問ひたまふこそこひしけれ

● 音読ポイント ●

七五調で書かれた淡い恋。初めて人を好きになった時のこと、覚えていますか？　初めてデートして歩いた時のことは？　この道が永遠に続けばいいなと思ったのは？　初恋の思い出を胸に読んでみてください。若返りますよ！

用語解説

＊花櫛
子どもたちの間に用いられた造花で飾った櫛。江戸時代から行われ、昭和の初期までは盛んに用いられていました。

かなりや

西條八十

唄を忘れた金絲雀は　後の山に棄てましょか。
いえいえそれはなりませぬ。
唄を忘れた金絲雀は　背戸の小藪に埋めましょか。
いえいえそれはなりませぬ。
唄を忘れた金絲雀は　柳の鞭でぶちましょか。
いえいえそれはかわいそう。
唄を忘れた金絲雀は
象牙の船に銀の櫂

著者プロフィール

明治25（1892）年～昭和45（1970）年。東京生まれの詩人、作詞家。早稲田大学元教授で自費出版した詩集『砂金』が話題となりました。また『蘇州夜曲』『青い山脈』など大衆に愛され、今も耳にする歌詞の多くを手掛けました。

作品解説

大正7（1918）年に原題が書かれ、翌年に成田為三が曲を付けて童謡となりました。当時の童謡では珍しい自然で柔らかな語感の歌詞で、その背景には著者が幼少期に行った教会のクリスマスの思い出があるといいます。

月夜の海に浮べれば
忘れた唄をおもひだす。

「人間でも、鳥でも、獣でも誰にでも仕事のできないときがあります。かういふとき、わたしたちはそれを大目に見てやらなければいけません。ほかの人たちには、なまけているやうに見えてもその当人は、なにかほかの人にわからないことで苦しんでいるのかも知れません。たとへば、このかなりやも、このあいだまで歌っていた歌よりも、もっといい歌を美しい声でこれからうたいださうとして、いま苦しんでいるのかも知れません。ね、だから、みんなで、いぢめずに気を永くして待ってやりませう。」

● 音読ポイント ●

『かなりや』には、その詩を書いた西條八十が記した文章が付いています。西条八十は、人のことを大事に思う気持ち、それをカナリヤに託して書いたのです。「象牙の船に銀の櫂」という言葉はそんな優しさにあふれた言葉なのです。

用語解説

＊背戸
家の裏口。勝手口。

＊象牙
ゾウの牙や歯から採取される硬くて白い物質。

＊櫂
船の推進具。水をかいて船をこぎ進めるための棒状の道具。

風の又三郎

宮沢賢治

どっどど　どどうど　どどうど　どどう
青いくるみも吹きとばせ
すっぱいかりんも吹きとばせ
どっどど　どどうど　どどうど　どどう

谷川の岸に小さな学校がありました。

教室はたった一つでしたが生徒は三年生がないだけで、あとは一年から六年までみんなありました。運動場もテニスコートのくらいでしたが、すぐうしろは栗の木のあるきれいな草の山でしたし、運動場のすみにはごぼごぼつめたい水を噴く

著者プロフィール

明治29（1896）年～昭和8（1933）年。岩手県生まれ。花巻農学校の教諭の傍ら、童話や詩を作り続けました。『銀河鉄道の夜』『風の又三郎』など作品の多くが死後、友人の草野心平らの尽力で世に知られるようになりました。

作品解説

大正13（1924）年頃に書かれた童話で、生前に未発表の作品です。大風の日に転校してきた標準語を話す不思議な転校生を、風の化身と感じて親しみつつも恐れる、分教場の生徒の姿を描いています。

岩穴もあったのです。

さわやかな九月一日の朝でした。青ぞらで風がどうと鳴り、日光は運動場いっぱいでした。黒い雪袴をはいた二人の一年生の子がどてをまわって運動場にはいって来て、まだほかにだれも来ていないのを見て、「ほう、おら一等だぞ。一等だぞ。」とかわるがわる叫びながら大よろこびで門をはいって来たのでしたが、ちょっと教室の中を見ますと、二人ともまるでびっくりして棒立ちになり、それから顔を見合わせてぶるぶるふるえましたが、ひとりはとうとう泣き出してしまいました。

● 音読ポイント ●

風の音がどんなふうに聞こえるでしょうか? 風を捕まえることはできません。風は大きなエネルギーの塊です。風によって引き起こされる子どもたちの動揺。次が読みたくなる小説の冒頭の素晴らしさを味わってください。

用語解説

＊雪袴

主に雪国で用いる山袴で、たっつけ（袴の一種で、ひざから下を細くし、下部を脚絆のように仕立てたもの）の類の衣服。

手袋を買いに

新美南吉

「このお手々にちょうどいい手袋下さい」

すると帽子屋さんは、おやおやと思いました。狐の手です。狐の手が手袋をくれと言うのです。これはきっと木の葉で買いに来たんだなと思いました。そこで、

「先にお金を下さい」と言いました。子狐はすなおに、握って来た白銅貨を二つ帽子屋さんに渡しました。帽子屋さんはそれを人差指のさきにのっけて、カチ合せて見ると、チンチンとよい音がしましたので、これは木の葉じゃない、ほんとのお金だと思いましたので、棚から子供用の毛糸の手袋をとり出して来て子狐の手に持たせてやりました。子狐は、お礼を言って

著者プロフィール

大正2（1913）年～昭和18（1943）年。愛知県出身の児童文学作家。雑誌『赤い鳥』出身で、代表作『ごん狐』の掲載時はわずか18歳でした。その他、短歌や童謡、詩なども残しましたが、29歳の若さで結核により逝去しました。

作品解説

昭和18（1943）年に出版された『牛をつないだ椿の木』収録の作品。ある冬の日に人間の帽子屋へ手袋を買いに行く小狐。幻想的な中に、そっと騙すものや人と動物の概念を崩すような言葉が散りばめられています。

また、もと来た道を帰り始めました。

「お母さんは、人間は恐ろしいものだって仰有ったがちっとも恐ろしくないや。だって僕の手を見てもどうもしなかったもの」と思いました。けれど子狐はいったい人間なんてどんなものか見たいと思いました。

ある窓の下を通りかかると、人間の声がしていました。何というやさしい、何という美しい、何と言うおっとりした声なんでしょう。

「ねむれ　ねむれ　母の胸に、ねむれ　ねむれ　母の手に――」

●音読ポイント●

しんしんと雪が降る夜に読みたい文章ですね。人というものは恐ろしいものでもあり、温かくもあり。その両方を持った自分の心が、いつどのような時に、どんなふうに動くのでしょうか。そんなことを考えるきっかけになる名文です。

赤い蝋燭と人魚

小川未明

その人魚は女でありました。そして妊娠でありました。私達は、もう長い間、この淋しい、話をするものもない、北の青い海の中で暮らして来たのだから、もはや、明るい、賑かな国は望まないけれど、これから産れる子供に、こんな悲しい、頼りない思いをせめてもさせたくないものだ。

子供から別れて、独りさびしく海の中に暮らすということは、この上もない悲しいことだけれど、子供が何処にいても、仕合せに暮らしてくれたなら、私の喜びは、それにましたことはない。

人間は、この世界の中で一番やさしいものだと聞いている。

著者プロフィール

明治15（1882）年〜昭和36（1961）年。新潟生まれの童話作家。早稲田大学在学時に発表した『紅雲郷』が坪内逍遥に評価され、その後社会主義運動に傾倒する中で、『赤い蝋燭と人魚』などいくつもの童話作品を執筆しました。

作品解説

大正10（1921）年に『朝日新聞』に連載された童話作品です。身重の人魚が産み落とした子どもを引き取った老夫婦のメルヘンチックな話の体をとりつつ、人間の裏切りやエゴイズムを、暗く悲しく描いています。

そして可哀そうな者や頼りない者は決していじめたり、苦しめたりすることはないと聞いている。一旦手附けたなら、決して、それを捨てないとも聞いている。幸い、私達は、みんなよく顔が人間に似ているばかりでなく、胴から上は全部人間そのままなのであるから――魚や獣物の世界でさえ、暮らされるところを見れば――その世界で暮らされないことはない。一度、人間が手に取り上げて育ててくれたら、決して無慈悲に捨てることもあるまいと思われる。

人魚は、そう思ったのでありました。

● 音読ポイント ●

どこかに、理想の世界があったなら、と考えたことはありませんか。愛する子どもが幸せになるとしたら、そこで暮らしてくれれば……。童話は、人の心を耕してくれます。理想の世界を思い浮かべながら読んでみてください。

用語解説

＊無慈悲
あわれみや思いやりの気持ちがないこと。また、そのような行動や態度を表す言葉。

桜の森の満開の下

坂口安吾

桜の森の満開の下の秘密は誰にも今も分りません。あるいは「孤独」というものであったかも知れません。なぜなら、男はもはや孤独を怖れる必要がなかったのです。彼自らが孤独自体でありました。（中略）

ほど経て彼はただ一つのなまあたたかな何物かを感じました。そしてそれが彼自身の胸の悲しみであることに気がつきました。花と虚空の冴えた冷めたさにつつまれて、ほのあたたかいふくらみが、すこしずつ分りかけてくるのでした。

著者プロフィール

明治39（1906）年～昭和30（1955）年。新潟生まれ。アテネ・フランセに通いヴォルテールに傾倒。その後、同人誌『言葉』や『青い馬』の発表で作家としての地位築き、大戦後には『堕落論』などで新文学の旗手となりました。

作品解説

昭和22（1947）年に発表された短編小説です。鈴鹿峠に棲む山賊と妖しくも残忍な女の幻想的な邂逅。寂寥感や悲哀の籠った物語は、安吾の見た東京大空襲の死者を桜の下で火葬した悲しい原風景に基づいています。

彼は女の顔の上の花びらをとってやろうとしました。彼の手が女の顔にとどこうとした時に、何か変ったことが起ったように思われました。すると、彼の手の下には降りつもった花びらばかりで、女の姿は掻き消えてただ幾つかの花びらになっていました。そして、その花びらを掻き分けようとした彼の手も彼の身体も延した時にはもはや消えていました。あとに花びらと、冷めたい虚空がはりつめているばかりでした。

●音読ポイント●

満開の桜の木の下に何があるのでしょうか。坂口安吾は想像力が途方もなく大きく、狂気を内側にねじ伏せて生きていたような人でした。原始の力を感じるような文章です。強く、虚しく、美しい文章からその力を感じてください。

用語解説

＊**虚空**
物が何もない空間。

徒然草

吉田兼好

【序段】

つれづれなるまゝに、日ぐらし、硯にむかひて、心に移りゆくよしなし事を、そこはかとなく書きつくれば、あやしうこそものぐるほしけれ。

【第一〇九段】

高名の木登りと言ひし男、人を掟て、高き木に登せて梢切らせしに、いと危ふく見えしほどは言ふこともなくて、降るると

著者プロフィール

弘安6（1283）年～文和元（1352）年頃とされますが詳細不明。鎌倉末～南北朝時代には武人で後に出家した人物で、本名は卜部兼好。『徒然草』内にも信仰や無常感に加え、武芸の大切さなどが書かれ、元武人らしさをうかがわせます。

作品解説

貞和5（1349）年頃に書かれた随筆です。著者が見聞きした日常を、取り留めなく綴ったことから序段で「つれづれなるままに…」と記されますが、その内容には人の生き方や信仰など含蓄ある言葉にあふれています。

きに軒たけばかりになりて、「あやまちすな。心して降りよ。」と言葉をかけ侍りしを、「かばかりになりては、飛び降るるとも降りなん。いかにかく言ふぞ。」と申し侍りしかば、「そのことに候ふ。目くるめき、枝危ふきほどは、己が恐れ侍れば申さず。過ちは、安き所に成りて、必ず仕ることに候ふ。」と言ふ。あやしき下臈なれども、聖人の戒めにかなへり。鞠も、難きところを蹴出だしてのち、やすく思へば、必ず落つと侍るやらん。

● 音読ポイント ●

木登りの名人といわれた男が、弟子が作業を終えて木から降りてきたところで「気をつけなさい」と注意したというお話です。ハラハラする気持ちで読んでみてください。書いている兼好の工夫が見えてくるかもしれません。

用語解説

＊つれづれなる
することがなく、手持無沙汰なこと。

＊そこはかとなし
とりとめもない。はっきりとした理由や原因があるわけではないけれど、なんとなく感じるさまを指します。

＊高名
高い評価を受け、世間に名前を知られていること。

＊下臈
下人。人に使われている身分の低い男。

羅生門

芥川龍之介

老婆は、片手に、まだ屍骸の頭から奪った長い抜け毛を持ったなり、蟇のつぶやくような声で、口ごもりながら、こんな事を云った。

「成程な、死人の髪の毛を抜くと云う事は、何ぼう悪い事かも知れぬ。じゃが、ここにいる死人どもは、皆、そのくらいな事を、されてもいい人間ばかりだぞよ。現在、わしが今、髪を抜いた女などはな、蛇を四寸ばかりずつに切って干したのを、干魚だと云うて、太刀帯の陣へ売りに往んだわ。疫病にかかって死ななんだら、今でも売りに往んでいた事であろ。それもよ、この

著者プロフィール

明治25（1892）年～昭和2（1927）年。東京生まれ。東京帝大在学中に発表した『鼻』が夏目漱石に評価され、その後『羅生門』『芋粥』など、古典を題材にしたものから、自伝『或阿呆の一生』まで次々と作品を発表しました。

作品解説

大正4（1915）年に発表された短編で、『今昔物語』に収録された作品を下敷きにして書かれました。荒廃した京の都の羅城門で出会った下人と老婆を通して「人間心理」や「善悪とは」といったテーマを描いています。

女の売る干魚は、味がよいと云うて、太刀帯どもが、欠かさず菜料に買っていたそうな。わしは、この女のした事が悪いとは思うていぬ。せねば、飢死をするのじゃて、仕方がなくした事であろ。されば、今また、わしのしていた事も悪い事とは思わぬぞよ。これとてもやはりせねば、飢死をするじゃて、仕方がなくする事じゃわいの。じゃて、その仕方がない事を、よく知っていたこの女は、大方わしのする事も大目に見てくれるであろ。」

● 音読ポイント ●

高校の教科書に掲載されることが多かった『羅生門』。生きるということはどういうことかを、高校の時、みんなで考えました。良いことと悪いことの境目は、はたしてどこにあるのでしょうか。老婆になったつもりで読んでみてください。

用語解説

＊蟇
ヒキガエルの俗称。

＊疫病
集団発生する伝染病・流行病のこと。

山椒大夫

森鷗外

越後の春日を経て今津へ出る道を、珍らしい旅人の一群れが歩いている。母は三十歳を踰えたばかりの女で、二人の子供を連れている。姉は十四、弟は十二である。それに四十ぐらいの女中が一人ついて、くたびれた同胞二人を、「もうじきにお宿にお着きなさいます」と言って励まして歩かせようとする。二人の中で、姉娘は足を引きずるようにして歩いているが、それでも気が勝っていて、疲れたのを母や弟に知らせまいとして、折り折り思い出したように弾力のある歩きつきをして見せる。近い道を物詣りにでも歩くのなら、ふさわしくも

著者プロフィール

文久2(1862)年~大正11(1922)年。東京大学医学部卒業後、陸軍軍医となりドイツに留学。帰国後に訳詩編『於母影』やドイツ女性との恋愛を描く『舞姫』を発表。他にも『山椒大夫』『雁』など多数の小説や随筆を残しました。

作品解説

大正4(1915)年に発表された代表作のひとつです。中世~近世にかけての語物芸能である説経節の演目を下敷きにしつつ、封建社会の終焉や資本主義の興隆を描くなど、鷗外らしいエッセンスが加えられています。

見えそうな一群れであるが、笠やら杖やらかいがいしい出立ちをしているのが、誰の目にも珍らしく、また気の毒に感ぜられるのである。

道は百姓家の断えたり続いたりする間を通っている。砂や小石は多いが、秋日和によく乾いて、しかも粘土がまじっているために、よく固まっていて、海のそばのように踝を埋めて人を悩ますことはない。

● 音読ポイント ●

森鷗外が初めて子ども向けに書いた童話です。鷗外は、時代の流れに合わせて、言文一致を始めます。自分の子どもたちにもわかるように書いたのです。堅さと優しさとぎこちなさを感じながら読んでみてください。

用語解説

＊同胞
同じ母から生まれた兄弟姉妹のこと。

＊物詣り
神社や寺院に参拝することを指します。参詣。物参り。

＊かいがいしい出で立ち
普段とは違う身なりで、仕事や行事などに臨むこと。

＊秋日和
秋の季節にみられるよく晴れて、爽やかな天気の様子。

竹

萩原朔太郎

光る地面に竹が生え、
青竹が生え、
地下には竹の根が生え、
根がしだいにほそらみ、
根の先より繊毛が生え、
かすかにけぶる繊毛が生え、
かすかにふるえ。

かたき地面に竹が生え、
地上にするどく竹が生え、
まっしぐらに竹が生え、
凍れる節節りんりんと、

著者プロフィール

明治19（1886）年〜昭和17（1942）年。群馬県生まれ。旧制中学在学時に従兄弟の手ほどきで文学の道を志します。その後詩作を開始し、第一詩集『月に吠える』を発表。他にも『青猫』など、口語を用いた鋭い印象の作品を残しました。

作品解説

大正6（1917）年発表の詩集『月に吠える』に収録され、日本の詩作の伝統を打破した口語抒情詩の先駆け的な作品です。特に『竹』はダダイズムの影響を受けつつ、口ずさみたくなるリフレインと共に、竹の力強さを朗々と謳っています。

青空のもとに竹が生え、
竹、竹、竹が生え。

○

みよすべての罪はしるされたり、
されどすべては我にあらざりき、
まことにわれに現はれしは、
かげなき青き炎の幻影のみ、
雪の上に消えさる哀傷の幽霊のみ、
ああかかる日のせつなる懺悔をも何かせむ、
すべては青きほのほの幻影のみ。

● 音読ポイント ●

ダダイズムと呼ばれる芸術運動が盛んな時代がありました。無意味さに意味を求める運動です。「竹」という植物に、こんなに強い生き生きとした意味を与えることができたのが萩原朔太郎です。みずみずしい感覚を感じてください。

用語解説

＊青竹
幹が青々とした竹。

＊繊毛
きわめて細く短い毛。

＊哀傷
心が痛ましいこと。悲しんで心を痛めること。

＊懺悔
自分が犯した罪や過ちを後悔して、神仏や他人に許しを請うこと。

檸檬

梶井基次郎

見わたすと、その檸檬の色彩はガチャガチャした色の階調をひっそりと紡錘形の身体の中へ吸収してしまって、カーンと冴えかえっていた。私は埃っぽい丸善の中の空気が、その檸檬の周囲だけ変に緊張しているような気がした。私はしばらくそれを眺めていた。

不意に第二のアイディアが起こった。その奇妙なたくらみはむしろ私をぎょっとさせた。

――それをそのままにしておいて私は、なに喰わぬ顔をして外へ出る。――

私は変にくすぐったい気持がした。「出て行こうかなあ。そう

著者プロフィール

明治34（1901）年～昭和7（1932）年。大阪生まれ。東京帝大に入学し、同人誌『青空』で執筆を開始します。その後、肺結核の療養で訪れた伊豆で川端康成らと親交を深め、初の創始集『檸檬』を発表しますが、翌年逝去しました。

作品解説

大正14（1925）年の短編作品。京都に下宿していた著者は、鬱々とした心を抱えている時に一つの檸檬と出合います。ふと悪戯な感情を抱いた彼は、鮮やかな檸檬を爆弾に見立て、洋書店の書棚に置いて逃走します。

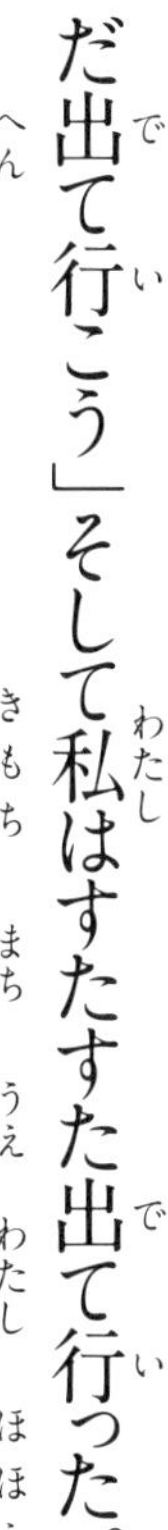

だ出て行こう」そして私はすたすた出て行った。

変にくすぐったい気持が街の上の私を微笑ませた。丸善の棚へ黄金色に輝く恐ろしい爆弾を仕掛けて来た奇怪な悪漢が私で、もう十分後にはあの丸善が美術の棚を中心として大爆発をするのだったらどんなにおもしろいだろう。

私はこの想像を熱心に追求した。「そうしたらあの気詰まりな丸善も粉葉みじんだろう」

そして私は活動写真の看板画が奇体な趣きで街を彩っている京極を下って行った。

● 音読ポイント ●

京都の書店、丸善での悪戯と想像。本をいっぱいに積み上げて、その上に檸檬を置くのです。ただの檸檬ではありません。爆弾です！　文章だからこそできるこんな遊びを、そっと心に秘めて読んでみるとワクワクします。

用語解説

＊紡錘形
円柱の両端をとがらせたような形。

＊悪漢
悪事を働く男や、わるものを指す言葉。

＊活動写真
日本の明治・大正期における映画の呼称。

＊京極
京都市の新京極通の通称。

第3章

心が落ち着く音読

心が不安定な時や、
心がざわざわして落ち着かない時には、
ゆっくりと音読をしてみましょう。
自然と心が穏やかになります。

さわりから名文を選んでみよう

智恵子抄　あどけない話

高村光太郎

智恵子は東京に空が無いといふ、
ほんとの空が見たいといふ。
私は驚いて空を見る。
桜若葉の間に在るのは、
切っても切れない
むかしなじみのきれいな空だ。
どんよりけむる地平のぼかしは

著者プロフィール

明治16（1883）年〜昭和31（1956）年。東京生まれ。東京美術学校を卒業後欧米に留学し、彫刻や詩作に専念。その後、詩集『道程』を発表、さらに妻との愛を綴った作品『智恵子抄』などを刊行しています。

作品解説

昭和16（1941）年に発表された『智恵子抄』の一節。郷里である福島の「ほんとの空」を希求し、「空が無い」東京での暮らしを嘆く妻・智恵子。心を病んでもあどけなく、純真な彼女に寄せる愛情が描かれます。

うすもも色の朝のしめりだ。
智恵子は遠くを見ながら言ふ。
阿多多羅山の山の上に
毎日出ている青い空が
智恵子のほんとの空だといふ。
あどけない空の話である。

● 音読ポイント ●

都会のビルの中にいると、空の大きさを忘れてしまうことがあります。すると心もしょんぼりしてしまいます。会津の美しい自然に囲まれて育った智恵子は、東京で心を病んだのでした。空の大きさを思いながら読んでみましょう。

用語解説

＊桜若葉
花が散り、若葉だけが青々としている桜の木のこと。花と若葉が混じっている状態、新緑に覆われた状態のどちらのさまも表す言葉。

＊阿多多羅山
安達太良山の古い呼び方のひとつ。安達太良山は、福島県中部にある活火山で、日本百名山、新日本百名山、花の百名山などに選ばれています。

＊あどけない
無邪気でかわいいという意味の言葉。特に、子どもの態度や様子などが無心で愛らしい様子を指して使われます。

吾輩は猫である

夏目漱石

甕のふちに爪のかかりようがなければいくらも掻いても、あせっても、百年の間身を粉にしても出られっこない。出られないと分り切っているものを出ようとするのは無理だ。無理を通そうとするから苦しいのだ。つまらない。自ら求めて苦しんで、自ら好んで拷問に罹っているのは馬鹿気ている。

「もうよそう。勝手にするがいい。がりがりはこれぎりご免蒙るよ」と、前足も、後足も、頭も尾も自然の力に任せて抵抗しない事にした。

著者プロフィール

慶応3（1867）年～大正5（1916）年。東京帝国大学英文科卒業後に英国留学。その後、一高、東大の講師になりますが間もなく、『吾輩は猫である』『坊っちゃん』『草枕』など人気作を発表。晩年の門下生には、芥川龍之介などがいます。

作品解説

明治38（1905）年に発表された、夏目漱石初の長編です。中学英語教師の苦沙味先生の飼い猫の目線から見た人間模様。おかしな紳士たちの仕草や話、ちょっとした事件を、痛烈な皮肉たっぷりに描いた作品です。

次第に楽になってくる。苦しいのだかありがたいのだか見当がつかない。水の中にいるのだか、座敷の上にいるのだか、判然しない。どこにどうしていても差支はない。ただ楽である。否楽そのものすらも感じ得ない。日月を切り落し、天地を粉韲して不可思議の太平に入る。吾輩は死ぬ。死んでこの太平を得る。太平は死ななければ得られぬ。南無阿弥陀仏南無阿弥陀仏。ありがたいありがたい。

● 音読ポイント ●

猫はどんなふうに人間の世界を見ているのか、と思って書かれた漱石の名作です。ここに挙げたのは、その最後の部分で、猫が水甕に落ちて死んでしまう場面です。諦めの境地で頭が空っぽになる感じで読んでみてください。

用語解説

*甕
胴がふくれ口が広く底の深い容器で、陶器や石などの素材で作られています。液体や粉末などを入れるために使われます。

*身を粉にする
労力を惜しまずに一心に仕事などに取り組むことを表す慣用句。

*粉韲
粉のように細かく砕けることを意味する言葉。

*太平
世の中が平和に治まり穏やかな状態のこと。

浅草むかしばなし

永井荷風

浅草公園のはなしもあんまり古いことは大抵忘れてしまったからここでは話すことはできない。十二階の初めて建てられた時も、六区に米国南北戦争のパノラマの出来た事も、見に行ったことは記憶しているがはっきりした年代がわからないから暫くおあずけにして置こう。僕が二十になった頃から（即明治三十年頃から）のことならどうやら記憶しているようだ。一番はずれの江川劇場は玉乗や手品の興行で人に知られていた。現在吉本のグランド映画劇場のところには何が

用語解説

著者プロフィール

明治12（１８７９）年〜昭和34（１９５９）年。高商付属外国語学校中退。外遊後に『あめりか物語』『ふらんす物語』を発表します。また花柳会（遊郭）に入り浸って書いた『濹東綺譚』や日記の『断腸亭日乗』など、多彩な作品を残しています。

作品解説

昭和25（１９５０）年に『東京日日新聞』に掲載された作品です。関東大震災と第二次世界大戦で様変わりしてしまった浅草の風情を紹介しつつ、著者が親しんだ古き良き明治の浅草を懐かしむように描いています。

あったか、今ではわからない。その隣の現在ロック座の在るところは戦争で取払になるまでは萬盛座と云う劇場で剣劇と五一郎一座の軽演劇をやっていた。その以前は萬盛庵という蕎麦屋であった。戦争中までオペラ館の在ったところはたしか都座と云って源氏節と女芝居がかかっていたと思う。常盤座は古くから現在の処にあった芝居小屋で、明治三十年代には新派の役者が出ていた。

● 音読ポイント ●

浅草も、ずいぶん変わってしまいました。地方も、どこへ行っても同じ様な風景ばかりになってしまいました。むかしの浅草の雰囲気を、荷風の文章で味わってください。江戸、明治の浅草を彷彿とさせます。

昭和22（1947）年まで東京浅草にあった公園。明治6（1873）年に浅草寺の境内を中心に設置されました。一区から七区までの区画にわけられ、商業や娯楽が集中していました。

＊六区
東京都台東区、浅草寺南西側の映画館・演芸場などがある娯楽街の通称。明治時代の浅草公園の一部として区画された六区に由来しています。

＊南北戦争
1861年から1865年にかけて、アメリカ合衆国の北部と南部が対立して起こった内戦。きっかけは、奴隷制度や貿易政策などをめぐる南北の利害の対立でした。

＊源氏節
明治時代に流行した、浄瑠璃を基とした音楽語りものの一種。哀切な語り口が人気でした。

やまなし

宮沢賢治

つぶつぶ泡が流れて行きます。蟹の子供らもぽっぽっぽっとつづけて五六粒泡を吐きました。それはゆれながら水銀のように光って斜めに上の方へのぼって行きました。

つうと銀のいろの腹をひるがえして、一疋の魚が頭の上を過ぎて行きました。

『クラムボンは死んだよ。』

『クラムボンは殺されたよ。』

『クラムボンは死んでしまったよ………。』

『殺されたよ。』

著者プロフィール

明治29（1896）年～昭和8（1933）年。岩手県生まれ。花巻農学校の教諭の傍ら、童話や詩を作り続けました。『銀河鉄道の夜』『風の又三郎』など作品の多くが死後、友人の草野心平らの尽力で世に知られるようになりました。

作品解説

著者が生前に発表した作品で、大正12（1923）年に『岩手毎日新聞』に掲載されました。蟹の兄弟が見た谷川の四季の情景を「クラムボン」など不思議な語感の言葉を交えつつ描く、幻想的で透き通った作品です。

『それならなぜ殺された。』兄さんの蟹は、その右側の四本の脚の中の二本を、弟の平べったい頭にのせながら云いました。

『わからない。』

魚がまたツウと戻って下流のほうへ行きました。

『クラムボンはわらったよ。』

『わらった。』

にわかにパッと明るくなり、日光の黄金は夢のように水の中に降って来ました。

● 音読ポイント ●

宮沢賢治は、擬音語や擬態語を「発明」したり、小説に出てくるキャラクターに名前を付けたりすることが得意な作家でした。表現力が豊かな人だったのです。音の結びつきなどを考えながら読むと、そのおもしろさがわかります。

用語解説

＊水銀

亜鉛元素のひとつ。常温で液状の唯一の金属で、銀白色の金属光沢をもちます。

ごん狐

新美南吉

兵十は今まで、おっ母と二人きりで、貧しいくらしをしていたもので、おっ母が死んでしまっては、もう一人ぼっちでした。

「おれと同じ一人ぼっちの兵十か」

こちらの物置の後から見ていたごんは、そう思いました。

ごんは物置のそばをはなれて、向うへいきかけますと、どこかで、いわしを売る声がします。

「いわしのやすうりだアい。いきのいいいわしだアい」

ごんは、その、いせいのいい声のする方へ走っていきました。

と、弥助のおかみさんが、裏戸口から、

著者プロフィール

大正2(1913)年～昭和18(1943)年。愛知県出身の児童文学作家。雑誌『赤い鳥』出身で、代表作『ごん狐』の掲載時はわずか18歳でした。その他、短歌や童謡、詩なども残しましたが、29歳の若さで結核により逝去しました。

作品解説

昭和7(1932)年に『赤い鳥』に掲載された児童文学。両親のいない小狐ごんと、兵十の思いがすれ違う物悲しい作品です。学校教材としての『ごん狐』は、後に鈴木三重吉が子ども用に加筆したものとなっています。

「いわしをおくれ。」と言いました。いわし売は、いわしのかごをつんだ車を、道ばたにおいて、ぴかぴか光るいわしを両手でつかんで、弥助の家の中へもってはいりました。ごんはそのすきまに、かごの中から、五、六ぴきのいわしをつかみ出して、もと来た方へかけだしました。そして、兵十の家の裏口から、家の中へいわしを投げこんで、穴へ向ってかけもどりました。途中の坂の上でふりかえって見ますと、兵十がまだ、井戸のところで麦をといでいるのが小さく見えました。

● 音読ポイント ●

新美南吉ほど、きめ細かく透明で美しいものを書くことができる人はいないのではないかと思います。登場する人や動物たちが、自分の世界と直接向き合って純粋に生きているからではないかと思います。心が洗われる気がします。

用語解説

＊いわし

ニシン目のうちイワシ類の海魚の総称。日本で食用とされる種類は三種あり、日本人の食生活でとても大切な存在となっています。

源氏物語（桐壺巻）

紫式部

先の世にも御契りや深かりけむ、世になく清らなる玉の男御子さへ生まれたまひぬ。いつしかと心もとながらせたまひて、急ぎ参らせて御覧ずるに、めづらかなる稚児の御容貌なり。
一の皇子は、右大臣の女御の御腹にて、寄せ重く、疑ひなき儲の君と、世にもてかしづききこゆれど、この御にほひには並びたまふべくもあらざりけ

著者プロフィール

天延元（973）年～長元4（1031）年とされていますが、詳細は不明。藤原道長の要請で宮中に上がった女官であり歌人です。父は花山天皇に漢学を教えたとされる藤原為時であり、彼女も自由に漢文を読みこむ才女でした。

作品解説

全54帖からなり、世界最古の長編小説といわれています。文献としての初出は寛弘5（1008）年。主人公の光源氏が数々の女性と織りなす恋愛模様や平安貴族としての栄枯盛衰を描いた物語となっています。

れば、おほかたのやむごとなき御思(みおもい)ひにて、この君(きみ)をば、私物(わたくしもの)に思(おも)ほしかしづきたまふこと限(かぎ)りなし。

現代語訳

（帝と桐壺の更衣は）前世でもよほど因縁が深かったのでしょうか。世にまたとなくすぐれて清らかで美しい、玉のような男の皇子（光源氏）までがお生まれになりました。（帝は）「早く（見たい）」と待ち遠しくお思いになって、急いで参上させて（光源氏を）ご覧になると、めったにないほど素晴らしいお顔立ちでした。

第一皇子は、右大臣の女御の息子で、後ろ盾がしっかりしていて、間違いなく皇太子になられるだろうと、世間でも大切に世話をし申しあげているけれど、この（光源氏の）つややかなお美しさにはお並びになることはなかったので、帝は第一皇子を一般的に大切だとしてご寵愛し、この君（光源氏）は、秘蔵っ子とお思いになって大切になさることこの上もない。

● 音読ポイント ●

美しい玉のような、光源氏が生まれます。すでに一の宮の皇子が生まれていたにもかかわらず、あまりにも美しい子どもが帝と桐壺の更衣との間に生まれたのです。赤ちゃんを抱くような気持ちで読んでみてください。

用語解説

＊御契り
前世から定められた因縁・宿縁を意味します。

＊清らなる
古文の形容動詞「清らなり」の連体形。清らかで美しいこと、気品があって美しいこと。

＊めづらかなる
古文の形容動詞「めづからなり」の連体形。「めったにない」「珍しい」という意味で使われます。

＊御容貌
人の顔立ちや顔全体の形を意味する言葉。

枕草子（第145段）

清少納言

胸つぶるるもの

競馬見る。元結よる。親などの、心地あしとて、例ならぬけしきなる。まして、世の中など騒がしと聞ゆるころは、よろづの事おぼえず。（中略）

例の所ならぬ所にて、殊にまたいちじるからぬ人の声聞きつけたるはことわり、異人などの、その上など言ふに

著者プロフィール

康保3（966）年頃〜　万寿2（1025）年頃とされますが、正確な生没年は不詳。歌人・清原元輔の娘で、陸奥守橘則光らとの二度の結婚を経て、一条天皇の皇后・定子に仕えました。博識だったため定子の寵愛を受けたとされています。

作品解説

長保3（1001）年頃に書かれたとされる随筆です。虫や木の花から四季の自然や景色、宮中の生活の様子まで、著者とされる清少納言が宮中で体験し、見聞きしたものが、女性らしく情感豊かに書き綴られています。

も、まづこそつぶるれ。いみじうにくき人の来たるにも、またつぶる。あやしくつぶれがちなるものは、胸こそあれ。

現代語訳

胸がどきどきとするもの

競馬の見物。元結をよる時。親などが、気分が悪いと言って、いつもとは様子が異なる時。まして、世間に疫病が流行って騒がしい時は、何も手がつかなくなってしまう。（中略）

いつとは違う場所で、世間に隠している恋人の声を聞いた時は当然で、他の人がその人のことを話題にしているのを聞く時も、胸がどきどきとする。とても憎たらしい嫌いな人が来た時にも、またどきどきとする。不思議にどきどきとしてしまうのが、胸というものなのだ。

● 音読ポイント ●

「胸がどきどきとするもの」、平安時代の清少納言にとっては、まだ人に知られていない間柄の恋人の声を聞いたり、その人のことが話題になったりするとどきどきすると記しています。どきどきしながら読んでみてください。

用語解説

＊胸つぶる
古文で「胸がしめつけられる」「どきどきする」「はらはらする」という意味の言葉。

＊いちじるからぬ
古文で「はっきりとしない」という意味の言葉。

＊いみじう
古文で「はなはだしい」「並々でない」という意味の言葉。

方丈記

鴨長明

都のほとりには、在々所々、堂舎廟塔一つとして全からず。或は崩れ、或は倒れぬ。塵灰立ちのぼりて、盛なる煙のごとし。地の動き、家の破るる音、雷にことならず。家の中に居れば忽にひしげなんとす。走り出づれば、地割れ割く。羽なければ空をも飛ぶべからず。龍ならばや雲にも乗らむ。恐れの中に恐るべかりけるは、ただ地震なりけりとぞ覚え侍りしか。

著者プロフィール

久寿２（１１５５）年～建保４（１２１６）年。京都の下鴨神社の禰宜の次男として誕生。後に従五位下に叙爵されるも晩年に出家しました。歌人としても活躍し『方丈記』以外にも、歌集『鴨長明集』や歌論書の『無名抄』を残しています。

作品解説

建暦２（１２１２）年成立の随筆で、人間関係や出家について、また人生訓など著者の見聞したことや私見が綴られた作品です。作品の背景には当時の末法思想や浄土信仰があり、その内容にも無常感が漂っています。

現代語訳

都の周りではあちこちの寺のお堂や塔が崩壊して、無事なものは一つもない。あるものは崩れ、あるものは倒れた。塵や灰が舞い上がって煙が立ちのぼっているようである。大地が鳴り響き、家々がバリバリと崩壊していく音は、雷鳴が轟くような凄まじさだ。家の中にいれば押しつぶされそうになり、外へ逃げれば地面が割れ逃げ道をふさがれる。羽がないので空を飛ぶこともできない。龍であれば雲に乗って逃げることも出来るのに。恐ろしいものの中でも、もっとも恐ろしいのは、他でもない地震であったとつくづく思った。

● 音読ポイント ●

すべてのものが崩れ去る。地震は本当に怖い天災です。我が国は、むかしから大きな地震に遭いながら、復興を繰り返してきました。地震が起こった時にどうなるか、そんな恐怖を胸にお読みください。

用語解説

＊堂舎
大小の家々、建物のことで、特に社寺の建物を指す言葉。

＊廟塔
仏像などを安置するみたまやの塔のこと。仏教の建築物として、寺院や庭園などに見られます。

＊塵灰
ごみやほこりといったものを指す言葉。

学問のすすめ

福沢諭吉

学問をするには分限を知ること肝要なり。人の天然生まれつきは、繋がれず縛られず、一人前の男は男、一人前の女は女にて、自由自在なる者なれども、ただ自由自在とのみ唱えて分限を知らざればわがまま放蕩に陥ること多し。すなわちその分限とは、天の道理に基づき人の情に従い、他人の妨げをなさずしてわが一身の自由を達することなり。自由とわがままとの界は、他人の妨げをなすとなさざるとの間にあり。譬えば

著者プロフィール

天保6(1835)年〜明治34(1901)年。中津藩の武士の子として生まれ、緒方洪庵の下で蘭学を学びます。幕府の遣欧米使節団に3度参加し『学問のすすめ』だけでなく、『西洋事情』など西欧の文化を伝え啓蒙する著書も残しています。

作品解説

明治9(1876)年に出版された「天は人の上に人を造らず人の下に人を造らず」で知られる名著。長く続いた封建社会を脱却して自由平等の社会の中で個を確立し、政と向き合っていくための学問の重要性を説いています。

自分の金銀を費やしてなすことなれば、たとい酒色に耽り放蕩を尽くすも自由自在なるべきに似たれども、けっして然らず、一人の放蕩は諸人の手本となり、ついに世間の風俗を乱りて人の教えに妨げをなすがゆえに、その費やすところの金銀はその人のものたりとも、その罪許すべからず。

● 音読ポイント ●

人を諭し、鼓舞する文章です。なぜ、人は学問をするのか、学問をすることによって、人はどう変わることができるのか、社会をどう変えることができるのか。自分という存在が世界を変える！ そんな高い意識で音読してください！

用語解説

＊分限
「身のほど」「身分」「分際」などを意味します。

＊放蕩
自分の思うままに振るまい、そのために身を持ち崩すことを指します。特に、飲酒や女遊びにふけること。

＊道理
物事の正しい筋道や論理、人として行うべき正しい道などを指す言葉。道理は、人間関係や社会生活における行動の指針となります。

＊風俗
ある時代や社会における、日常生活上の様々なしきたり。ならわし。

蒲団

田山花袋

さびしい生活、荒涼たる生活は再び時雄の家に音信れた。子供を持てあまして喧しく叱る細君の声が耳について、不愉快な感を時雄に与えた。

生活は三年前の旧の轍にかえったのである。

五日目に、芳子から手紙が来た。いつもの人懐かしい言文一致でなく、礼儀正しい候文で、

「昨夜恙なく帰宅致し候儘御安心被下度、此の度はまことに御忙しき折柄種々御心配ばかり相懸け候うて申訳も無之、幾重にも御詫申上候、御前に御高恩をも謝し奉り、御詫も致し度候いしが、兎角は胸迫りて最後の会合すら辞み候心、お察

著者プロフィール

明治4（1871）年～昭和5（1930）年。栃木県（現在の群馬県）生まれの作家。尾崎紅葉を訪ねた際、江見水蔭の指導を受けて小説を書き始めます。私小説のジャンルを築いた人物で、代表作に『蒲団』『生』『妻』『縁』『田舎教師』などがあります。

作品解説

明治40（1907）年の小説。門下の女学生・横山芳子に恋愛感情を抱いた、妻子ある作家・竹中時雄の心情を描いたセンセーショナルな作品です。タイトルにもなっている『蒲団』はこの女学生が使用していたものです。

し被下度候、新橋にての別離、硝子戸の前に立ち候毎に、茶色の帽子うつり候ようの心地致し、今猶まざまざと御姿見るのに候、山北辺より雪降り候うて、湛井よりの山道十五里、悲しきことのみ思い出で、かの一茶が『これがまアつひの住家か雪五尺』の名句痛切に身にしみ申候、　父よりいずれ御礼の文奉り度存居候えども今日は町の市日にて手引き難く、乍失礼私より宜敷御礼申上候、まだまだ御目汚し度きこと沢山に有之候えども激しく胸騒ぎ致し候まま今日はこれにて筆擱き申候」と書いてあった。

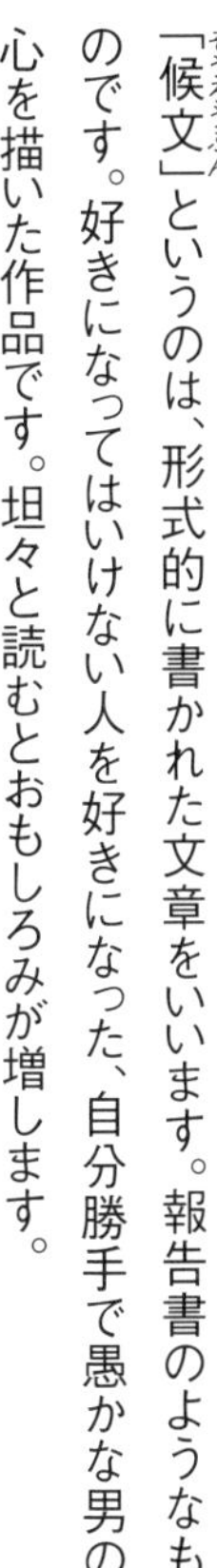

● 音読ポイント ●

「候文」というのは、形式的に書かれた文章をいいます。報告書のようなものです。好きになってはいけない人を好きになった、自分勝手で愚かな男の心を描いた作品です。坦々と読むとおもしろみが増します。

用語解説

＊轍
昔ながらのやり方、前例のこと。

＊高恩
人から受けた非常に深い恩恵のこと。「厚恩」や「大恩」と同じ意味。

＊市日
定期的に市が開かれる日のこと。

＊御目汚し
見せることを謙遜する言葉で、見苦しいものを恐縮しながら見せるという意味。

夫婦善哉

織田作之助

　蝶子は「娘さんを引き取ろうや」とそろそろ柳吉に持ちかけた。柳吉は「もうちょっと待ちイな」と言い逃れめいた。「子供が可愛いことないのんか」ないはずはなかったが、娘の方で来たがらぬのだった。（中略）
　ある日、こちらから頼みもしないのにだしぬけに白い顔を見せた。蝶子は顔じゅう皺だらけに笑って「いらっしゃい」駆け寄ったのへつんと頭を下げるなり、女学生は柳吉の所へ近寄って低い声で「お祖父さんの病気が悪い、

著者プロフィール

大正2（1913）年～昭和22（1947）年。大阪生まれ。昭和10（1935）年に同人誌『海風』を創刊し、代表作の『夫婦善哉』を掲載。さらに発禁処分となった『青春の逆説』やラジオ・ドラマのシナリオなども手掛けています。

作品解説

昭和15（1940）年発表の小説。北新地の芸者と優柔不断な若旦那が駆け落ちし、喧嘩を繰り返しながらも生きていく姿を描く作品です。当時の世相を反映した戯作調の文章から、おかしさや人情味が伝わってきます。

すぐ来て下さい」

柳吉と一緒に駆けつける事にしていた。が、柳吉は「お前は家に居りイな。いま一緒に行ったら都合が悪い」蝶子は気抜けした気持でしばらく呆然としたが、これだけのことは柳吉にくれぐれも頼んだ。――父親の息のある間に、枕元で晴れて夫婦になれるよう、頼んでくれ。父親がうんと言ったらすぐ知らせてくれ。飛んで行くさかい。

音読ポイント

関西人でなかったら、関西弁で書かれたところを、関西人になったつもりで音読してください。イントネーションも上手に真似て。関西弁って優しいですね。方言が喪われてきていますが、方言はとっても温かくて大切なものなのです。

用語解説

＊だしぬけに
思いもよらないことが起きること、またはそのさまを表す言葉。いきなり、唐突という意味。

＊気抜け
張りつめていた気持ちがゆるんで、ぼんやりすること。

君死にたまふことなかれ

与謝野晶子

あゝをとうとよ、戦ひに
君死にたまふことなかれ、
すぎにし秋を父ぎみに
おくれたまへる母ぎみは、
なげきの中に、いたましく
わが子を召され、家を守り、
安しと聞ける大御代も
母のしら髪はまさりぬる。

著者プロフィール

明治11(1878)年～昭和17(1942)年。大阪府生まれ。短歌が『明星』に掲載された際に、後の夫となる与謝野鉄幹と出会います。その後、鉄幹との恋愛を赤裸々に描く『みだれ髪』など、情熱的で感性豊かな作品を発表しました。

作品解説

明治37(1904)年に発表した作品。与謝野晶子が日露戦争に出征中の弟を案じて詠んだ歌です。当時としては、戦争を賛美しない国賊的な思いを表現しており、それ故に真実の思いや情熱にあふれています。

暖簾のかげに伏して泣く
あえかにわかき新妻を、
君わするるや、思へるや、
十月も添はでわかれたる
少女ごころを思ひみよ、
この世ひとりの君ならで
あゝまた誰をたのむべき、
君死にたまふことなかれ。

● 音読ポイント ●

与謝野晶子という人は、激しい情熱を持っていた人でした。軍国主義が台頭する時代に対して命を張って反対した人でした。「国家」と「人の命」の重さを詩に綴ることができたのは、当時、彼女だけだったのです。

用語解説

＊大御代
天皇の治める時代。

＊暖簾
店先や部屋の境界に、日よけや間仕切り、目隠しのために吊り下げる布。

第4章

日本語のリズムを楽しむ音読

バラエティ豊かな名文の
美しい響きを
心と身体で感じながら
音読の醍醐味を味わいましょう。

さわりから名文を選んでみよう

通りゃんせ

作者不詳

通りゃんせ　通りゃんせ
ここはどこの　細道じゃ
天神さまの　細道じゃ
ちっと通して　下しゃんせ
御用のないもの　通しゃせぬ
この子の七つの　お祝いに
お札を納めに　まいります

著者プロフィール

江戸後期に短い歌詞で歌われ、明治中期に原型ができ、大正期にそれまで歌い継がれてきた「通りゃんせ」を国学者・本居宣長の子孫の本居長世が編曲、野口雨情が作詞をして、現在の形になったといわれています。

作品解説

江戸時代の成立と伝わるわらべ歌です。神奈川県の山角天神社や菅原神社、埼玉県の三芳野神社を描いた歌、あるいは関所を語る歌とも考えられていますが詳細は不明です。深読みできる歌詞も魅力のひとつといえます。

行き(いき)はよいよい　帰り(かえり)はこわい
こわいながらも
通(とお)りゃんせ　通(とお)りゃんせ

●音読ポイント●

江戸時代に作られた歌だといわれています。子どもの遊び歌ですが、ちょっと恐い感じがしないわけではありません。歌のメロディーなしに文字だけを声に出して読むと、また違ったイメージが浮かんできます。試してみてください。

用語解説

***通りゃんせ**
「通りなさい」という意味。

***天神**
「天界にいる神」という意味。雷や雨、水などと結びつけられ、荒ぶる神として恐れられている一方、農耕の神としても信仰されています。

俳句

小林一茶

これがまあ　つひの栖か　雪五尺

蟻の道　雲の峰より　つづきけん

梅が香や　どなたが来ても　欠茶碗

著者プロフィール

宝暦13（1763）年～文政10（1828）年。信濃国に誕生。幼少期から継母に虐げられ、見かねた父に江戸へと奉公に出され、この時俳句を学びます。その後、全国行脚や故郷での俳諧の指導を行う中で2万を超える俳句を残しました。

作品解説

やせ蛙や親のない雀など、親しみあるモチーフの俳句が多い小林一茶。その穏やかな俳句の背景には、幼少期の虐待や相次ぐ妻子の死去など、苦難に満ちた人生を味わったからこその、繊細で優しい想いが込められています。

霞む日や　夕山かげの　飴の笛

亡き母や　海見る度に　見る度に

月花や　四十九年の　むだ歩き

●音読ポイント●

一茶の魅力は、その視点のおもしろさにあります。自分を自然の中にそのまま置いて、虫や風になったつもりで言葉を紡ぐのです。四季の移り変わりと自分の人生、そんなことを思い浮かべながら読んでみましょう。

用語解説

＊つひの栖
死ぬまでに住むことになる最後の家のこと。

＊五尺
尺は、尺貫法における長さの単位。五尺は約150㎝(一尺＝約30㎝)。

＊霞む
霞がたちこめるような状態になること。

＊月花
風雅を代表する語。

ゴンドラの唄

吉井勇

いのち短し、恋せよ、少女、
朱き唇、褪せぬ間に、
熱き血潮の冷えぬ間に
明日の月日のないものを。

いのち短し、恋せよ、少女、
いざ手を取りて彼の舟に、
いざ燃ゆる頬を君が頬に
こゝには誰れも来ぬものを。

著者プロフィール

明治19（1886）年〜昭和35（1960）年。東京生まれの著作家、歌人。北原白秋らと「パンの会」を結成、石川啄木らとは雑誌『スバル』を発刊しました。作風は耽美的なものが多く『酒ほがひ』や『祇園歌集』などを発表しています。

作品解説

大正4（1915）年に発表された歌謡曲です。アンデルセンの『即興詩人』の一節を基に、芸術座の公演の劇中歌として作られました。「いのち短し、恋せよ、乙女」の歌詞はあまりにも有名で、今日も歌い継がれています。

いのち短し、恋せよ、少女、
波にたゞよひ波の様に、
君が柔手を我が肩に
こゝには人目ないものを。

いのち短し、恋せよ、少女、
黒髪の色褪せぬ間に、
心のほのほ消えぬ間に
今日はふたゝび来ぬものを。

● 音読ポイント ●

黒澤明の映画『生きる』の主題歌でも使われた歌で、もともとは、ツルゲーネフの『その前夜』の劇中歌として松井須磨子によって歌われました。「今」を生きることの大切さを優しく歌った詩です。熱い思いを込めて読んでみましょう。

用語解説

＊血潮
激しい情熱や感情。

五十音

北原白秋

水馬赤いな。ア、イ、ウ、エ、オ。
浮藻に小蝦もおよいでる。
柿の木、栗の木。カ、キ、ク、ケ、コ。
啄木鳥こつこつ、枯れけやき。
大角豆に酢をかけ、サ、シ、ス、セ、ソ。
その魚浅瀬で刺しました。
立ちましょ、喇叭で、タ、チ、ツ、テ、ト。
トテトテタッタと飛び立った。
蛞蝓のろのろ、ナ、ニ、ヌ、ネ、ノ。
納戸にぬめって、なにねばる。
鳩ぽっぽ、ほろほろ、ハ、ヒ、フ、ヘ、ホ。

著者プロフィール

明治18(1885)年～昭和17(1942)年。早稲田大学在学中から詩作を行い、処女作『邪宗門』を発表しました。その後『東京景物詩』『桐の花』などの詩歌と共に『とんぼの眼玉』『待ちぼうけ』などの童謡も世に送り出しています。

作品解説

大正11(1922)年に発表された作品です。「4・4・5型」の定型詩で、子どもが歌いながら覚えられるよう、50音がリズムよく配置されました。なお、現在では発声練習の定番としても知られています。

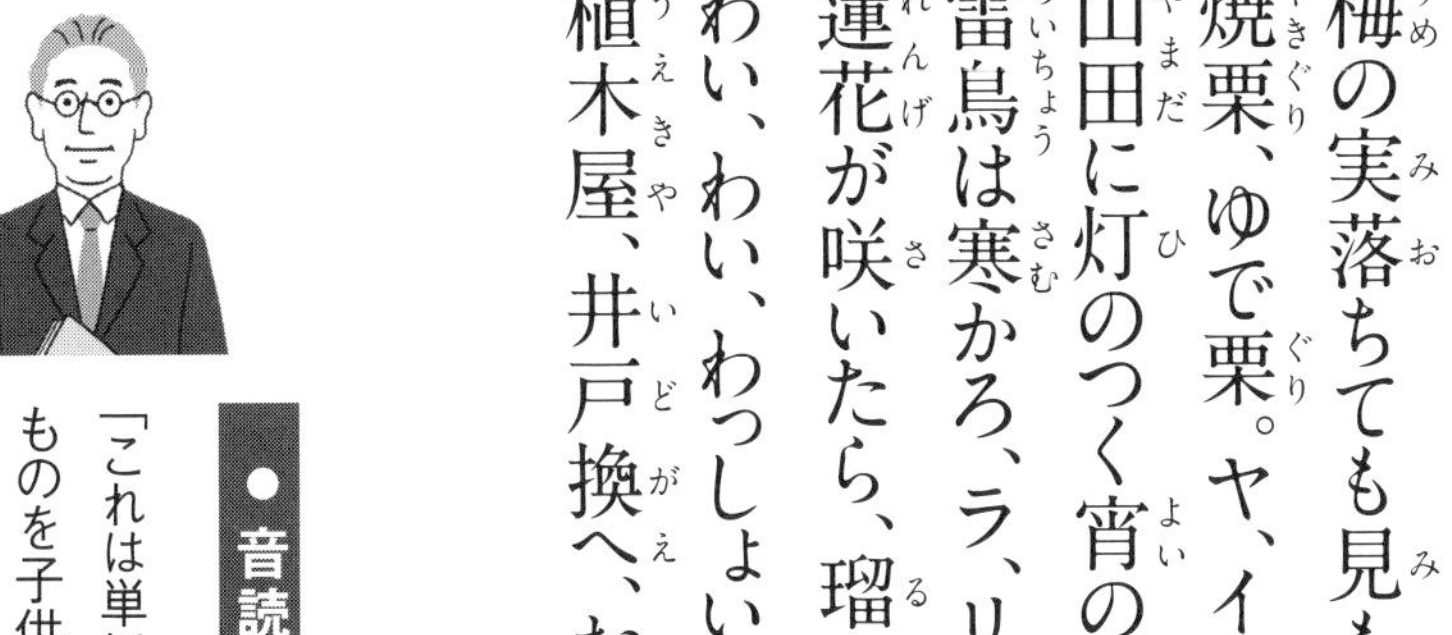

日向のお部屋にゃ笛を吹く。
蝸牛、螺旋巻、マ、ミ、ム、メ、モ。
梅の実落ちても見もしまい。
焼栗、ゆで栗。ヤ、イ、ユ、エ、ヨ。
山田に灯のつく宵の家。
雷鳥は寒かろ、ラ、リ、ル、レ、ロ。
蓮花が咲いたら、瑠璃の鳥。
わい、わい、わっしょい。ワ、ヰ、ウ、ヱ、ヲ。
植木屋、井戸換へ、お祭だ。

● 音読ポイント ●

「これは単に語呂を合せるつもりで試みたのではない、各行の音の本質そのものを子供におのづと歌ひ乍らにおぼえさしたいがためである」と白秋は書いています。音の本質を感じながら読んでみてはいかがでしょうか。

用語解説

＊大角豆
赤褐色をした直径1㎝ほどの豆。さやが上向きに湾曲して実る姿が「捧げる」手つきに似ていることから、「ささげ」となったという説があります。

＊納戸
衣類や家具など、普段使わないものをしまっておく部屋。

＊蝸牛
カタツムリのこと。

＊瑠璃の鳥
全体に瑠璃色（深い紫青色）をしているツグミ科の小鳥。

＊井戸換え
井戸水をすべて汲み出して、中を掃除すること。疫病が流行るのを防ぐために行われました。

サーカス

中原中也

幾時代かがありまして
　茶色い戦争ありました

幾時代かがありまして
　冬は疾風吹きました

幾時代かがありまして
　今夜此処での一と殷盛り
　　今夜此処での一と殷盛り

サーカス小屋は高い梁
　そこに一つのブランコだ
見えるともないブランコだ

頭倒さに手を垂れて
　汚れ木綿の屋蓋のもと
ゆあーん　ゆよーん　ゆやゆよん

著者プロフィール

明治40（1907）年〜昭和12（1937）年。山口県生まれ。15歳で友人と歌集『末黒野』を刊行。その後、小林秀雄らと交遊し、第一詩集『山羊の歌』を出版。生涯を通じて350篇以上の詩を残し、30歳の若さで逝去しました。

作品解説

昭和4（1929）年に発表された、中原中也の代表作です。七五調と新鮮なオノマトペ、リズム感にあふれたリフレインが特徴的で、本人も自信作としており、草野心平主催の朗読会で、自らこの詩を朗読しています。

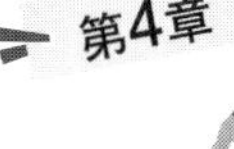

それの近(ちか)くの白(しろ)い灯(ひ)が
　安値(やす)いリボンと息(いき)を吐(は)き
観客様(かんきゃくさま)はみな鰯(いわし)　咽喉(のんど)が鳴(な)ります牡蠣殻(かきがら)と
ゆあーん　ゆよーん　ゆやゆよん

屋外(やぐわい)は真(ま)ッ闇(くら)　闇(くら)の闇(くら)
夜(よる)は劫々(こふこふ)と更(ふ)けまする
落下傘(らくかがさ)奴(め)のノスタルヂアと
ゆあーん　ゆよーん　ゆやゆよん

● 音読ポイント ●

この詩は、音読というより「絶叫」することをおすすめします。森か海か、誰もいないところに行って、大きな声で絶叫してみてください。涙が独りでに出てきます。そうして、絶叫して泣けば、心が晴々してきます。

用語解説

＊茶色い戦争
いろいろな解釈がありますが、その中のひとつとして、古い時代の戦争を表しているというものがあります。

おくのほそ道

松尾芭蕉（まつおばしょう）

江（こう）の縦横一里（じゅうおういちり）ばかり、俤松島（おもかげまつしま）にかよひて、又（また）異（こと）なり。松島（まつしま）は笑（わらう）ふが如（ごと）く、象潟（きさかた）はうらむがごとし。寂（さび）しさに悲（かな）しみをくはえ（わ）て、地勢魂（ちせいたましい）をなやますに似（に）たり。

象潟（きさがた）や雨（あめ）に西施（せいし）がねぶの花（はな）

著者プロフィール

寛永21（1644）年～元禄7（1694）年。伊賀国（現在の三重県）で誕生。地元の有力者である藤堂良忠に仕え、同時期に北村季吟から俳諧を学びました。良忠の死後、江戸に居を移し、武士や町人に俳句を教える傍ら各所をめぐり、俳句を残しています。

作品解説

元禄2（1689）年成立。松尾芭蕉が西行の500回忌に、弟子の曾良を伴い江戸から、東北～北陸とめぐり、岐阜の大垣までを旅した150日間の情景を描いた作品。各地域の様子を、文章と俳句でまとめています。

現代語訳

江の内は縦横一里ほどだ。その景色は松島に似ているが、同時にまったく異なる。松島は楽しげに笑っているようだし、象潟は深い憂愁に沈んでいるようなのだ。寂しさに悲しみまで加わってきて、その土地の有様は美女が深い憂いをたたえてうつむいているように見える。

象潟や雨に西施がねぶの花

（象潟の海辺に合歓の花が雨にしおたれているさまは、伝承にある中国の美女、西施がしっとりうつむいているさまを想像させる）

● 音読ポイント ●

芭蕉が現在の秋田県にかほ市にある象潟を訪ねたのは、元禄2（1689）年6月16日のことでした。宮城県の松島と秋田県の象潟の風景を比べて詠んでいます。太平洋側と日本海側の風景を思い浮かべながら読んでみてください。

用語解説

＊一里
里は、尺貫法における長さの単位。一里は約4㎞。

＊松島
宮城県北東部の松島湾内外にある約260の島々の総称。京都の天橋立、広島の宮島と並ぶ日本三景のひとつ。

＊象潟
秋田県南西端、由利郡にあった旧町名。現在は陸地ですが、かつては潟湖（入り江）で、潟湖に島々が浮かぶ風光明媚な景勝地でした。

＊西施
中国、春秋時代の越国の美女。王昭君（おうしょうくん）、貂蝉（ちょうせん）、楊貴妃（ようきひ）を合わせて、「中国古代四大美女」といわれています。

俳句

正岡子規

雪残る　頂一つ　国境

紫陽花や　きのふの誠　けふの嘘

夜の露　もえて音あり　大文字

著者プロフィール

慶応3（1867）年～明治35（1902）年。26歳で『獺祭書屋俳話』を発表しましたが、その後日清戦争従軍の帰途に喀血。病床でも多数の俳句を作り、松尾芭蕉や古今和歌集の自論を展開するなど活躍しましたが、34歳で逝去しました。

作品解説

正岡子規が俳句を作り始めたのは18歳頃から。その創作は34歳で亡くなる直前まで続きました。「写実的」といわれる彼の俳句の中には、病床で思いを馳せた作品も多く、それ故に美しいのかもしれません。

いくたびも　雪の深さを　尋ねけり

年玉を　ならべて置くや　枕元

● 音読ポイント ●

「写生」は、ものを観て、それを絵にすることをいいますが、子規は「写生文」ということをやっています。自分が観たままに、それを自分の言葉で表現することです。読んでみると、なんと無邪気で素直な優しい句かと思います。

用語解説

＊雪残る
春になっても消えないで残っている雪のことを表す春の季語。

＊夜の露
夜間におりる露のことを指す。秋の季語として、俳句によく使われます。

＊大文字
毎年8月16日に京都で行われる五山送り火のひとつ。「大」という字を松明の炎で描き、お盆で帰ってきたご先祖様を再びあの世へ送り出します。

一握の砂

石川啄木

鏡屋の前に来て　ふと驚きぬ
見すぼらしげに歩むものかも

何となく汽車に乗りたく思ひしのみ
汽車を下りしに　ゆくところなし

空家に入り　煙草のみたることありき
あはれただ一人居たきばかりに

何がなしに　さびしくなれば出てあるく男となりて
三月にもなれり

やはらかに積れる雪に
熱てる頬を埋むるごとき　恋してみたし

著者プロフィール

明治19（1886）年～明治45（1912）年。岩手県生まれ。文芸誌『明星』に感銘を受けて上京するも、体調を崩して帰郷。20歳で初の詩集『あこがれ』を発表後、『一握の砂』などを生み出しますが、肺結核で夭逝しました。

作品解説

石川啄木が東京にいた明治43（1910）年までに詠んだ短歌を集めた歌集です。北海道や故郷での生活や、若い青年が送った東京生活の哀感が詠われているほか、社会の閉塞感を嘆くような短歌も収録されています。

かなしきは　飽くなき利己の一念を
持てあましたる男にありけり

手も足も　室いっぱいに投げ出して
やがて静かに起きかへるかな

百年の長き眠りの覚めしごと
してまし　思ふことなしに

腕拱みて　このごろ思ふ
大いなる敵目の前に躍り出でよと

● 音読ポイント ●

悩み多き青春時代、自分が何者でもない、ちっぽけな存在にしか見えない時代、啄木はそんな時代の自分を哀しみに満ちた言葉で綴ります。悩みを発散するように大声で読んでみてください。

用語解説

＊汽車
蒸気を使って走る列車のこと。蒸気機関車のことを「陸蒸気（おかじょうき）」ともいいました。

蜘蛛の糸

芥川龍之介

ところがある時の事でございます。何気なく陀多が頭を挙げて、血の池の空を眺めますと、そのひっそりとした暗の中を、遠い遠い天上から、銀色の蜘蛛の糸が、まるで人目にかかるのを恐れるように、一すじ細く光りながら、するすると自分の上へ垂れて参るのではございませんか。陀多はこれを見ると、思わず手を拍って喜びました。この糸に縋りついて、どこまでものぼって行けば、きっと地獄からぬけ出せるのに相違ございません。いや、うまく行くと、極楽へはいる事さえも出来

著者プロフィール

明治25（1892）年～昭和2（1927）年。東京生まれ。東京帝大在学中に発表した『鼻』が夏目漱石に評価され、その後『羅生門』『芋粥』など、古典を題材にしたものから、自伝『或阿呆の一生』まで次々と作品を発表しました。

作品解説

大正7（1918）年発表の短編で、アメリカの作家、ポール・ケーラスの作品が下敷きとなっています。地獄で苦しむ罪人カンダタの唯一の善行を思い出した釈迦は、カンダタを救うべく天から蜘蛛の糸を下ろしますが……。

ましょう。そうすれば、もう針の山へ追い上げられる事もなくなれば、血の池に沈められる事もある筈はございません。

こう思いましたか陀多は、早速その蜘蛛の糸を両手でしっかりとつかみながら、一生懸命に上へ上へとたぐりのぼり始めました。元より大泥坊の事でございますから、こう云う事には昔から、慣れ切っているのでございます。

● 音読ポイント ●

主人公の名前はカンダタ。ある時、蓮池を覗き見た釈迦が、大罪人のカンダタを助けてあげようと、一本の蜘蛛の糸を垂らした、という場面です。カンダタが、「助かる！」と感じた時の喜びを胸に読んでみましょう。

用語解説

＊陀多

印度（インド）の大罪人。生前、道ばたの小さな蜘蛛の命を思いやり踏み殺さずに助けていました。

＊血の池

女性が流す血によって地が穢れるという考えから生まれました。ここに堕ちると池の血を飲まされるといわれています。

＊針の山

地獄にある一面に針を植えてある山。

陰翳礼讃

谷崎潤一郎

私は、吸い物椀を前にして、椀が微かに耳の奥へ沁むようにジイと鳴っている、あの遠い虫の音のようなおとを聴きつゝ、これから食べる物の味わいに思いをひそめる時、いつも自分が三昧境に惹き入れられるのを覚える。茶人が湯のたぎるおとに尾上の松風を連想しながら無我の境に入ると云うのも、恐らくそれに似た心持なのであろう。日本の料理は食うものでなくて見るものだと云われるが、こう云う場合、私は見るものである以上に瞑想するものであると云おう。そうしてそれは、闇にまたゝく蝋燭の灯と漆の器とが合奏する無言の音楽の作用なのである。かつて漱石先生は「草枕」の中で

著者プロフィール

明治19（1886）年〜昭和40（1965）年。東京生まれ。東京大学在学中に同人誌『新思潮』を創刊し、『刺青』が人気を博します。その後関西に居を移すと『痴人の愛』『春琴抄』『卍』など、耽美的な作品を数多く世に送りました。

作品解説

昭和8（1933）年より雑誌『経済往来』に連載された随筆です。明治以前の電灯がなかった頃の日本人が作り出した、生活に根ざした美意識を論じつつ、西洋文化が日本古来の陰翳の美を消し去ることを嘆いています。

羊羹の色を讃美しておられたことがあったが、そう云えばあの色などはやはり瞑想的ではないか。玉のように半透明に曇った肌が、奥の方まで日の光りを吸い取って夢みる如きほの明るさを啣んでいる感じ、あの色あいの深さ、複雑さは、西洋の菓子には絶対に見られない。クリームなどはあれに比べると何と云う浅はかさ、単純さであろう。だがその羊羹の色あいも、あれを塗り物の菓子器に入れて、肌の色が辛うじて見分けられる暗がりへ沈めると、ひとしお瞑想的になる。

●音読ポイント●

谷崎潤一郎は「耽美派」と呼ばれる文学を創ったといわれます。「耽美」とは、陰翳の中にこそ日本文化の美しさがあるというのです。こういうものを音読すると、自分の声にも陰翳があることに気が付きます。

用語解説

＊三昧境
雑念にとらわれず、何事にも動じない無我の境地。

＊尾上
兵庫県加古川市の加古川東岸の地名。尾上神社境内の松が有名です。

汚れつちまつた悲しみに……

中原中也

汚れつちまつた悲しみに
今日も小雪の降りかかる
汚れつちまつた悲しみに
今日も風さへ吹きすぎる

汚れつちまつた悲しみは
たとへば狐の革裘
汚れつちまつた悲しみは
小雪のかかつてちぢこまる

著者プロフィール

明治40（1907）年～昭和12（1937）年。山口県生まれ。15歳で友人と歌集『末黒野』を刊行。その後、小林秀雄らと交遊し、第一詩集『山羊の歌』を出版。生涯を通じて350篇以上の詩を残し、30歳の若さで逝去しました。

作品解説

昭和9（1934）年出版の『山羊の歌』に収録された、中原中也の代表作です。文語の「汚れつちまつた悲しみ」で始まる4連、七五調の構成をとった詩で、著者の失恋の悲哀を叫ぶような孤独感に満ちた作品です。

汚れつちまつた悲しみは
なにのぞむなくねがふなく
汚れつちまつた悲しみは
懈怠のうちに死を夢む

汚れつちまつた悲しみに
いたいたしくも怖気づき
汚れつちまつた悲しみに
なすところもなく日は暮れる……

●音読ポイント●

「悲しみ」を「汚れつちまつた」と表現する中原中也は、子どものまんまの気持ちで文章を綴った人でした。そのため、汚れた悲しみを洗って綺麗にする自己浄化の力をもたず、彼の心はどんどん荒んでいってしまうのです。

用語解説

＊革裘
とても貴重なもの。古代中国では、特に白い狐の革裘は最高級品でした。

＊懈怠
なまけること。おこたること。

風立ちぬ

堀辰雄

絶対安静の日々が続いた。

病室の窓はすっかり黄色い日覆を卸され、中は薄暗くされていた。看護婦達も足を爪立てて歩いた。私は殆んど病人の枕元に附きっきりでいた。夜伽も一人で引き受けていた。ときどき病人は私の方を見て何か言い出しそうにした。私はそれを言わせないように、すぐ指を私の口にあてた。

そのような沈黙が、私達をそれぞれ各自の考えの裡に引っ込ませていた。が、私達はただ相手が何を考えているのか

著者プロフィール

明治37（1904）年〜昭和28（1953）年。旧来の私小説に反し、意図的なフィクションによる小説の確立を目指した作家。芥川龍之介らと交わり、彼の死に衝撃を受け『聖家族』を発表。代表作に『風立ちぬ』などがあります。

作品解説

昭和13（1938）年に出版された小説です。サナトリウムで療養する主人公と婚約者の、出会いと離別を描く作品です。死を意識させながらも、明るく透き通った心や情景の描写によって彩られた美しさが特徴です。

を、痛いほどはっきりと感じ合っていた。そして私が、今度の出来事を恰も自分のために病人が犠牲にしていて呉れたものが、ただ目に見えるものに変ったただけかのように思いつめている間、病人はまた病人で、これまで二人してあんなにも細心に細心にと育て上げてきたものを自分の軽はずみから一瞬に打ち壊してしまいでもしたように悔いているらしいのが、はっきりと私に感じられた。

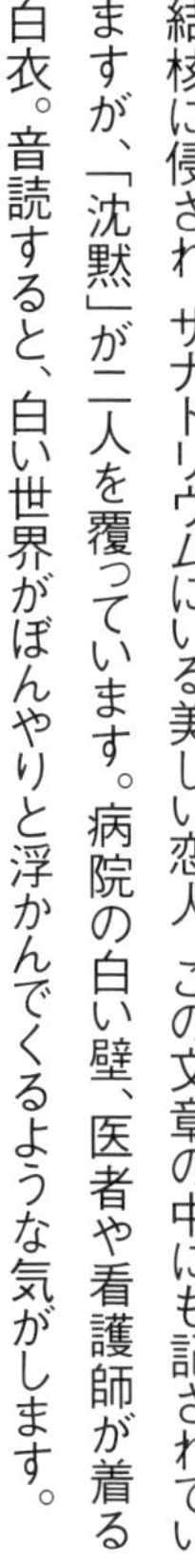

●音読ポイント●

結核に侵され、サナトリウムにいる美しい恋人。この文章の中にも記されていますが、「沈黙」が二人を覆っています。病院の白い壁、医者や看護師が着る白衣。音読すると、白い世界がぼんやりと浮かんでくるような気がします。

用語解説

＊夜伽
病人のためなどに、夜寝ないで付き添うこと。

人間失格

太宰治

竹一の予言の、一つは当り、一つは、はずれました。惚れられるという、名誉で無い予言のほうは、あたりましたが、きっと偉い絵画きになるという、祝福の予言は、はずれました。

自分は、わずかに、粗悪な雑誌の、無名の下手な漫画家になる事が出来ただけでした。

鎌倉の事件のために、高等学校からは追放せられ、自分は、ヒラメの家の二階の、三畳の部屋で寝起きして、故郷からは月々、極めて小額の金が、それも直接に自分宛ではなく、ヒラメのところにひそかに送られて来ている様子でしたが、（しかも、それは故郷の兄たちが、父にかくして送ってくれている

著者プロフィール

明治42（1909）年〜昭和23（1948）年。大学中退後、左翼活動に傾倒するも挫折。自殺未遂や薬物中毒を繰り返しながらも『走れメロス』『斜陽』などを発表。破滅型の作品が多く、自身も『人間失格』を残し入水自殺しました。

作品解説

昭和23（1948）年に発表された後、太宰が自殺したことで遺作となりました。裕福な家庭に生まれながら、生に戸惑い破滅的に生きる主人公を描いた衝撃作で、太宰のシニカルな独白が聞こえるような物語です。

という形式になっていたようでした）それっきり、あとは故郷とのつながりを全然、断ち切られてしまい、そうして、ヒラメはいつも不機嫌、自分があいそ笑いをしても、笑わず、人間というものはこんなにも簡単に、それこそ手のひらをかえすが如くに変化できるものかと、あさましく、いや、むしろ滑稽に思われるくらいの、ひどい変り様で、

「出ちゃいけませんよ。とにかく、出ないで下さいよ」

そればかり自分に言っているのでした。

●音読ポイント●

ちょっと笑ってしまう文章です。太宰治は、自由自在におもしろい文章を書ける天才だったと思います。でも、酒と薬物中毒で、その才能を枯渇させてしまったのでした。太宰の不甲斐なさが行間に漂っています。

用語解説

＊竹一

『人間失格』の主人公の大庭葉蔵の中学時代の同級生。葉蔵の道化を見破り、将来を予言をします。

＊ヒラメ

葉蔵の学校の保証人。

巻末コラム

「新聞」の音読は楽しい！

みなさん、ご存じでしたか？

昭和の初めまで、人は新聞も音読していたということを。

そもそも「新聞」は、我が国では、明治時代になってから生まれたものです。そして明治時代には、「書生」と呼ばれる学生たちが、多くの家に間借りをしたり下宿をして住んでいました。

書生さんは、中学生だったり高校生だったり大学生だったり。本を読んで勉強をし、時勢を読んで、これからの社会を支えなければなりません。

彼らは、下宿先、間借り先で、そこに住む家族やみんなのために、大きな声で新聞を読んで聞かせていたのです。

今なら、ラジオやテレビのニュースがありますが、そんなメディアがなかった時代、書生が新聞を読んで、その代わりをしていたのです。

新聞を音読すると、とっても楽しいんです。

読めない漢字があることに気が付いたり、最新の言葉を知ることができたり、時代の動きをニュースレポーターになったつもりで読むことができます。

それに、業界紙でなければ、新聞には小説も連載されています。毎日少しずつ進んで行く小説を読む楽しみもあります。

最近、新聞を定期購入する人も少なくなってきましたが、「新聞」には、ネット上で読む「ニュース」や「情報」とは違った「文化」が、総合的に盛り込まれています。

「新聞」を、音読してみましょう！

そのおもしろさに気が付けば、あなたは「音読マスター」になるでしょう！

おわりに

子どもの頃に、身近な人から読んでもらって心に残っている本がありますか?

ここにも掲載した『ごん狐』などの童話、『牛若丸』『豊臣秀吉』『徳川家康』などの伝記や逸話、あるいは翻訳書なら『小公女』『母を尋ねて三千里』『十五少年漂流記』『ロビンソンクルーソー』など。

わくわくしながら聞いたお母さんの声、お父さんの声、あるいはおばあちゃんやおじいちゃんの声。

もし、当時、自分が読み聞かせをしてもらった本がお手元にあれば、それを音読してみてください。

なかったら、図書館に行って、本を探してみませんか?

図書館に行きなれた人は、図書館に、たくさんの本があることを当たり前のように感じていらっしゃるかもしれません。

でも、図書館と馴染みがない人は、図書館に行くと、本がいっぱい！　いろんな本があることに気が付かれるはずです。そして、もしかしたら、子どもの時に読んで胸を躍らせた本が、そこに所蔵されているかもしれないと思うと、図書館を愛おしく感じるかもしれません。図書館で、自分が習った教科書に載っていた小説などを借りて、音読をしてみてはいかがでしょうか。

童話など、子どもの頃に読んだ本を音読していると、当時の香りや味、空気感などが脳裏に浮かぶことがあります。

ふっと一瞬、時空を超えて、子どもの頃にトリップする。そんなことができるようになると、本に描かれている空間に、自分の意識を持って行くことができるようになってきます。

もちろん、黙読でそういうことができるといいのですが、音読がおもしろいのは、書き手のリズム、書き手の呼吸に、自分の言葉のリズムや呼吸を合わせていくことができることです。

「、」や「。」などに注意して、ゆっくり声に出して読んでいくと、作者の思考のリズムに同調することができるのです。

ぜひ、いろんな本を音読してみてください。音読の世界は、無限に広がっています。

出典・参考文献

雨ニモマケズ　宮沢賢治……『新校本宮澤賢治全集13上　―覚書・手帳』筑摩書房

荒城の月　土井晩翠……『明治文學全集58　土井晩翠・薄田泣菫・蒲原有明集』筑摩書房

道程　高村光太郎……『美の廢墟第六號』美の廢墟社

がまの油　作者不詳……『古典落語（下）』講談社文庫

森の石松　三十石船道中　二代目　広沢虎造……『浪曲事典』日本情報センター

走れメロス　太宰治……『太宰治全集3』筑摩書房

怪人二十面相　江戸川乱歩……『怪人二十面相／少年探偵団』講談社・江戸川乱歩推理文庫

平家物語　作者不詳……『新日本古典文学大系44　平家物語』岩波書店

楼門五三桐　初代　並木五瓶……『芝居名せりふ集（新装版）』演劇出版社

怪談牡丹灯籠　三遊亭圓朝……『圓朝全集　巻の二』近代文芸資料複刻叢書

坊っちゃん　夏目漱石……『定本　漱石全集　第2巻』岩波書店

この道　北原白秋……『北原白秋童謡詩歌集　赤い鳥小鳥』岩崎書店

国定忠治　赤城山　行友李風……『芝居名せりふ集（新装版）』演劇出版社

女生徒　太宰治……『女生徒』KADOKAWA

鮨　岡本かの子……『岡本かの子全集5』筑摩書房

初恋　島崎藤村……『藤村詩集』新潮社

かなりや　西條八十……『西條八十全集6　童謡』国書刊行会

風の又三郎　宮沢賢治……『童話集　風の又三郎』岩波書店

手袋を買いに　新美南吉……『新美南吉童話集』岩波書店

赤い蝋燭と人魚　小川未明……『小川未明集　幽霊船　文豪怪談傑作選』筑摩書房

桜の森の満開の下　坂口安吾……『坂口安吾全集　5』筑摩書房

徒然草　吉田兼好……『新日本古典文学大系39　方丈記　徒然草』岩波書店

羅生門　芥川龍之介……『芥川龍之介全集　1』筑摩書房

山椒大夫　森鷗外……『日本の文学　3　森鷗外（二）』中央公論社

竹　萩原朔太郎……『萩原朔太郎詩集』思潮社

檸檬　梶井基次郎……『檸檬・ある心の風景』旺文社

智恵子抄　あどけない話　高村光太郎……『智恵子抄』新潮社

吾輩は猫である　夏目漱石……『夏目漱石全集　1』筑摩書房

浅草むかしばなし　永井荷風……『問は

ずがたり・吾妻橋　他十六篇』岩波書店

やまなし　宮沢賢治……『新編　風の又三郎』新潮社

ごん狐　新美南吉……『新美南吉童話集』岩波書店

源氏物語（桐壺巻）　紫式部……『源氏物語湖月抄（上）増注』講談社

枕草子　清少納言……『日本古典文学大系 第1期　19　枕草子　紫式部日記』岩波書店

方丈記　鴨長明……『國文大觀　日記草子部』明文社

学問のすすめ　福沢諭吉……『日本の名著33　福沢諭吉』中央公論社

蒲団　田山花袋……『蒲団・重右衛門の最後』新潮社

夫婦善哉　織田作之助……『ちくま日本文学全集54　織田作之助』筑摩書房

君死にたまふことなかれ　与謝野晶子……『晶子詩篇全集』実業之日本社

通りゃんせ　作者不詳……『日本の詩歌別巻 日本歌唱集』中央公論社

俳句　小林一茶……『新訂　一茶俳句集』『一茶　父の終焉日記・おらが春』岩波書店

ゴンドラの唄　吉井勇……『脚本その前夜』新潮社

五十音　北原白秋……『白秋全集　25』岩波書店

サーカス　中原中也……『中原中也詩集』岩波書店

おくのほそ道　松尾芭蕉……『おくのほそ道』研精堂

俳句　正岡子規……『日本近代文学大系16　正岡子規集』角川書店、『子規全集第3巻』講談社

一握の砂　石川啄木……『日本文学全集12　国木田独歩・石川啄木集』集英社

蜘蛛の糸　芥川龍之介……『芥川龍之介全集　2』筑摩書房

陰翳礼讃　谷崎潤一郎……『陰翳礼讃改版』中央公論新社

汚れつちまつた悲しみに……　中原中也……『中原中也詩集』岩波書店

風立ちぬ　堀辰雄……『昭和文学全集第6巻』小学館

人間失格　太宰治……『人間失格』新潮社

⊙本書は、音読のための読みやすさを重視し、漢字を新字体に変更した箇所、旧仮名遣いを現代仮名遣いに変更した箇所、文章を省略した箇所、字下げや改行を変更した箇所などがあります。

⊙漢字の振り仮名は、原典を現代語仮名遣いに変更しました。

⊙現代の観点では差別的な表現や語句が使われている箇所がありますが、執筆当時の時代背景、作家の独自性や文学性を踏まえ、原典のまま収録しました。

山口謠司（やまぐち ようじ）

1963年、長崎県生まれ。大東文化大学文学部教授。大東文化大学大学院、フランス国立社会科学高等研究院大学院に学び、ケンブリッジ大学東洋学部共同研究員などを経て現職。専門は書誌学、音韻学、文献学。ベストセラーになった『語彙力がないまま社会人になってしまった人へ』（ワニブックス）、和辻哲郎文化賞を受賞した『日本語を作った男 上田万年とその時代』（集英社インターナショナル）など著書多数。

STAFF

編集　株式会社ゴーシュ（五島 洪、鈴木恵子）
デザイン　山上 剛
イラスト　奥川りな
執筆協力　鷲巣謙介
校正　豊福実和子

もう一度読みたい
国語の教科書音読ブック

発行日　2024年2月14日　初版第1刷発行

監　修　山口謠司
発行者　小池英彦
発行所　株式会社 扶桑社
〒105-8070
東京都港区芝浦1-1-1
浜松町ビルディング
電話　03-6368-8870（編集）
03-6368-8891（郵便室）
www.fusosha.co.jp
印刷・製本　タイヘイ株式会社 印刷事業部

ISBN978-4-594-09684-7